Maurice Renard

FANTÔMES ET FANTOCHES

LE LAPIDAIRE

Edition : Culturea (culurea.fr), 34 Hérault
Contact : infos@culturea.fr
Impression : BOD, Norderstedt (Allemagne)
ISBN :9791041831968
Date de publication : juillet 2023
Mise en page et maquettage : https://reedsy.com/
Cet ouvrage a été composé avec la police Bauer Bodoni

I

Il y avait à Gênes, sous le dogat d'Uberto Lazario Catani, un lapidaire allemand fameux entre tous les marchands de pierreries.

C'était une époque favorable aux célébrités pacifiques.

La peste, dont la dernière épidémie avait fait des ravages très meurtriers, ne sévissait plus depuis deux ans.

Entre Venise et sa rivale, la haine séculaire mourait dans une lassitude et un affaiblissement militaire simultanés.

Enfin, Andrea Doria venait de délivrer sa patrie en chassant les Français, et dans Gênes indépendante il avait constitué un nouveau gouvernement républicain dont la force et l'harmonie promettaient une ère florissante de paix intérieure. Là était l'important ; car les Génois, prenant parti dans les querelles pontificales contre le pape ou contre l'empereur, entraînés dans les dissensions urbaines vers l'une ou l'autre des grandes familles ennemies, poussant au pouvoir telle classe de la population qu'il leur convenait, puis encore divisés sur le choix des prétendants, allumaient la guerre civile à propos de futilités, et jusqu'alors ce n'avait été que perpétuels combats entre Gibelins et Guelfes, Spinola et Grimaldi, noblesse et bourgeoisie, amis de Julio et partisans d'Alberto, discorde au sein des factions et bataille dans la bataille.

Mais tout cela, disait-on, n'était plus qu'un passé regrettable.

Sur l'ordre d'Andrea Doria, une fusion s'opérait : les patriciens adoptaient les bourgeois sans trop récriminer et l'on célébrait d'assez bonne grâce des mariages mixtes.

Le calme régnait donc, et les citadins s'adonnaient au commerce avec une ardeur inusitée, heureux de ne plus voir dans les rues ni cadavres de pestiférés, ni matelots prêts à partir contre un Dandolo, ni gens d'armes de France, ni surtout ces horribles flaques de sang caillé, témoignages d'émeute ou de rixe, vestiges funèbres que d'ordinaire l'homme épouvanté rencontre si rarement et dont naguère les Génois se détournaient à chaque sortie sans y pouvoir accoutumer leur répulsion.

De tout temps, les étrangers les moins proches s'étaient mis en route afin de visiter la Ville ; mais l'annonce de cette tranquillité inespérée avait multiplié leur nombre. Plus de cavaliers montés sur de robustes palefrois, à cheval entre la valise et le portemanteau, et suivis de leurs serviteurs, franchissaient les portes bastionnées des remparts ; et surtout, on voyait débarquer, à l'arrivée des nefs moins rares une recrudescence de passagers, le fait étant bien connu dans le monde que l'on devait atteindre Gênes par mer à cause du spectacle. Rien de plus exact ne fut jamais vérifié. Mais si le tableau se trouvait être véritablement grandiose, il semblait fort énigmatique à ceux qui l'admiraient pour la première fois. Aussi les voyageurs de l'Océan comme ceux de la terre, accostés dès l'arrivée – fussent-ils ruisselants à l'égal de tritons ou plus poussiéreux que meuniers – par les guides, dont la race est éternelle, se rendaient-ils en leur compagnie sur le môle, d'où l'on découvrait la même vue que du large en l'écoutant expliquer.

Des quais, la Ville s'échelonnait sur une colline abrupte et la couvrait tout entière de toits pointus, de terrasses et de murs blancs. Elle paraissait bâtie afin que chaque maison pût voir la mer, et la cité maritime formait une tribune aux cent gradins, préparée, semble-t-il, pour quelque naumachie colossale. La crête d'une montagne aride découpait derrière elle un horizon très élevé, couronné de forteresses et de monastères qui se ressemblaient ; et Gênes profilait sur cet écran morose et menaçant la silhouette plus claire de son amphithéâtre. À voir cette disposition en escalier, on avait tout de suite l'idée que les différents ordres d'une population si partagée habitaient chacun le degré correspondant à la hauteur de sa condition sociale. On se trompait : la ville basse passait pour la plus riche, la proximité du port attirant de ce côté les marchands, et elle possédait, comme la ville supérieure, ses palais. Ils étaient visibles du môle – car la vue de cette cité presque verticale en donnait le plan – et les guides, esprits méthodiques, après avoir fait admirer la ceinture inexpugnable de Gênes entourée par l'eau de la mer et du Bisagno, par des citadelles et des fortifications – ce qui faisait sourire les sujets du feu roi Louis XII – désignaient les édifices :

– San Lorenzo ! San Marco ! Le palais d'Andrea Doria !

– Où donc ?

– Pas loin de la Lanterna... Tout près de la rive... Contre le mur d'enceinte et en dehors... au milieu de jardins, ce grand château...

– Parfaitement. Doria, c'est le doge, n'est-ce pas ?

– Non ! Il a refusé le bonnet. Le commandement de la flotte espagnole lui laisse peu de loisirs, et Doria persiste à servir l'empereur, disant ne pouvoir mieux obliger les siens qu'en leur conservant un allié si considérable. La guerre pourtant lui donne du répit ; le voilà parmi nous quelque temps jusqu'aux expéditions prochaines. Il est tout-puissant et le doge lui demande conseil. Les hommes de sa trempe ne devraient pas mourir, et ses cheveux sont blancs…

Puis, le boniment, récité à la façon d'une confidence, accentué de mimiques affairées, larmoyant parfois, présomptueux souvent, emphatique toujours, se poursuivait à l'occasion d'autres castels :

– Cette tour est celle de l'arsenal, effroyable magasin de la mort ! Au centre de la Ville, s'élève le palais ducal. Que Dieu protège le doge ! Voici, dans le quartier bas, N. Donna delle Grazie ; la terrasse de l'orfèvre Spirocelli, voisine de l'église, s'aperçoit fort nettement. Quel artiste !… Je vous conduirai chez lui ; vous achèterez là des bijoux délicieux, agencés selon les règles récentes de l'art… Et voyez-vous maintenant, à une portée d'arbalète de cette maison, celle dont la toiture bleue est percée de quatre fenêtres ? C'est la demeure d'Hermann Lebenstein, le beau-père de Spirocelli, le roi des lapidaires, une des gloires génoises ! Il possède une merveilleuse collection de pierres. Par la Sainte Madone ! on ne saurait tarder davantage à connaître un tel trésor, car il pourrait payer la rançon de toute la chrétienté, si les mécréants venaient à la capturer !

Alors, à travers le dédale des ruelles, les voyageurs accompagnaient leurs guides, et quand ils les questionnaient au sujet de ce lapidaire aussi renommé que San Lorenzo, l'arsenal ou Doria, les Italiens rusés faisaient mine de ne pas entendre et nommaient obséquieusement les passants de qualité : Marino, Garibaldi, Fiescho…

II

Dans la rue des Archers, étroite et montante, les étrangers, fort intrigués, s'arrêtaient devant une habitation de belle apparence dont la porte et les fenêtres aux croisillons de pierre étaient surmontées d'une accolade sculptée retombant à droite et à gauche des ouvertures en cordons rigides, fruités de raisins à leur extrémité.

Le battant de chêne, poussé, donnait accès dans une salle lambrissée d'armoires où, derrière une table encombrée de balances, de pinces, de cuillers au manche perforé de trous ronds, un jeune garçon se tenait.

– Ce n'est qu'un serviteur, disaient les guides.

Ses petits yeux verts inspectaient les nouveaux venus à l'abri d'un front minuscule encore rétréci par une chevelure courte mais envahissante.

Ayant jugé à quelle sorte de pratiques il avait affaire, le valet s'empressait d'aller quérir son maître, et bientôt un grand vieillard livide accueillait les étrangers d'un sourire souffrant. L'acier cliquetant d'un trousseau de clefs luisait à sa hanche, sur l'étoffe sombre du costume, et l'on se demandait de quel prisonnier ce grave personnage avait la garde.

C'était Hermann.

La bienvenue de cet homme trop pâle et de taille exagérée frappait toujours ses hôtes d'étonnement et les confirmait dans cette pensée émouvante que le logis d'un être aussi anormal devait, en vérité, tenir du phénomène. C'est pourquoi, tout en suivant le large dos parmi l'obscurité d'un couloir, ils ébauchaient, sans même le savoir, des récits merveilleux à l'usage du retour, et ces Ulysses espagnols ou allemands préparaient pour Burgos ou Aix-la-Chapelle la relation incroyable de leur visite au repaire d'un cyclope.

Cependant, le futur Polyphème des fables internationales fouillait dans l'ombre une serrure familière ; il en faisait jouer les combinaisons et l'on entendait glisser avec soumission les leviers pesants de la fermeture compliquée ; une autre clef pénétrait une seconde mécanique ; la détente de ressorts lointains criait douloureusement, presque mélodieuse ; des engrenages grinçaient ;

enfin, après un dernier bruit de verrous tirés, sur une protestation ultime de la machine aux rouages embrouillés, venue de Nuremberg, la porte épaisse s'ouvrait.

Alors, toutes les paroles vantardes des guides tombaient dans l'oubli, les mots de collection, musée, galerie, trésor même, qui avaient attiré les curieux chez Hermann, eussent semblé d'une mesquinerie insultante à qui s'en fût souvenu ; mais personne n'avait d'idée, nul n'a pu dire jamais la forme de la salle, ses voûtes, ses fenêtres solidement grillées. Chacun, fasciné, vivait seulement par les yeux agrandis et regardait avec des frissons un spectacle sans pareil dont les histoires les plus invraisemblables n'auraient point augmenté la splendeur ; car le vieux geôlier gardait captive la nuit étincelante des étés d'Orient.

Le premier regard, jeté du seuil, ne distinguait dans un demi-jour crépusculaire qu'une infinité de points incandescents ; et rien ne déconcertait comme cette multitude innombrable d'étoiles, si ce n'est le fait de les savoir chacune un joyau sans prix.

Quelle fortune patiente et connaisseuse avait amoncelé une telle profusion de gemmes aussi parfaites ? Et quelle science avait su les disposer si habilement que, dans cet intérieur sombre, elles luisaient comme au soleil ? Cela déroutait l'habitude et la logique. Il fallait qu'Hermann fût prodigieusement riche, savant à l'excès ; et tous ces passants le vénéraient, depuis qu'ils avaient découvert en lui Aristote et surtout Crésus.

Lui, les joues maintenant timbrées d'un petit cercle rose et maladif, demeurait taciturne. À ceux qui, s'étant approchés des vitrines, avaient remarqué certains arrangements des pierres par groupes, par catégories, et lui demandaient la raison de cet ordre, l'esprit de cette classification, Hermann murmurait des réponses d'un laconisme évasif, et les fâcheux ne se risquaient plus à fatiguer de questions ce spectre aux gestes harassés, dont la voix tremblait.

Parfois il se trouvait parmi les curieux quelque orfèvre pour renseigner ses compagnons ; ces jours-là, Hermann souriait davantage et se taisait tout à fait. Mais, c'étaient d'habitude les guides qui, verbeux et importants, faisaient les honneurs du magique firmament et enseignaient à leurs clients d'un jour les erreurs les plus pittoresques.

L'empereur d'Allemagne, le roi de France étaient venus ; mais Charles Quint n'avait rien appris de son hôte impénétrable, et François Ier s'en fût allé de même, sans l'heureuse présence du joaillier de la cour. Encore, un pli moqueur aux lèvres d'Hermann ne cessa-t-il de railler le docte artisan, comme si sa harangue n'eût été que menteries ou balourdises.

Certaine journée, pourtant, un visiteur solitaire s'étant nommé avec le léger accent de Toscane, le lapidaire le conduisit à la célèbre chambre et l'entretint longuement, accordant à cet unique auditeur la grâce qu'il avait refusée aux peuples de la terre, comme à ses monarques.

Or, sa voix devint plus chaude et plus assurée à mesure qu'il parla. Il dit :

– Seigneur Benvenuto Cellini, voici mes gemmes les plus précieuses, celles que je ne vends pas, afin de m'en réjouir les yeux et aussi de peur de ruiner les nations.

« Toutes les espèces sont là dans toutes leurs variétés, rangées selon les liens divers, véritables ou supposés, que les lois de la nature ou le caprice des hommes ont mis entre elles.

« Voilà le coin des origines.

« Regardez cette motte d'argile d'un gris sale à côté de cette boule grossière de silex ; que je les nomme seulement et vous frémirez, car la motte est une gangue et la boule une géode. Je ne les ai pas fait ouvrir ; elles cachent peut-être des pierres miraculeusement limpides ; mais, plus loin, des choses similaires sont coupées en deux morceaux pour montrer le diamant brut, encore terne, gisant au fond de l'une et la paroi de l'autre tapissée magnifiquement d'améthyste.

« Sectionnez maintenant par la pensée tous ces cailloux quelconques apportés de Perse, de Boukharie, de Hongrie, et dont les nuances éteintes sont verdâtres, bleutées ou fadement polychromes ; examinez alors dans la case voisine leurs tranches sciées et polies : ce sont des turquoises, des lapis-lazuli, des opales…

« Au fond de ce bassin que vous voyez là, où des miroirs versent une resplendissante lumière, des huîtres de Polynésie élaborent lentement leur bijou morbide, et ce banc de moules continue de sécréter ici des perles roses commencées sous les flots de l'océan Indien. Cette autre cuve recèle un buisson de corail chaque jour plus fleuri, les rameaux en sont blancs, teinte inestimable… Mais, pardon, ces commentaires sont superflus et vous connaissez mieux que moi les nids des cristaux, la gestation des grains nacrés et les pépinières sous-marines.

« J'espère vous surprendre tout à l'heure par de moindres vulgarités.

– Détrompez-vous, repartit Benvenuto, il est toujours sain d'entendre les gens éclairés redire les vérités que l'on sait ; car les imbéciles les répètent parfois, et la parole d'un érudit, venant à les confirmer de nouveau, leur rend la pureté primitive et la certitude. Aussi bien, n'ai-je point ouï disserter des pierreries devant des modèles aussi rares que ceux-là ni disposés si raisonnablement ; et je ne m'attendais guère à contempler dans votre maison des coquilles perlières en exercice, non plus que des bosquets de pierre pleins de vie…

Mais Hermann l'entraîna vers un large panneau couvrant tout le mur principal, face à l'entrée, sur lequel des centaines de tisons semblaient se consumer et, groupés dans des cadres sculptés, formaient des rangs et des colonnes, alignements incompréhensibles qui décelaient un plan mystérieux.

– Ces douze gemmes, reprit Hermann, sont les symboles des douze mois chez les Slaves, et voici le calendrier des Latins. Différence de races : il n'existe pas de concordance entre ces deux fantaisies ; l'attribut d'avril, par exemple, est ici le diamant, et là c'est le saphir…

– La saison printanière, fit Cellini, a la couleur des yeux qu'on aime ; c'est folie de la vouloir fixer à jamais et pour tous… Mais voilà des années aussi précieuses que le temps lui-même ! Que veulent dire ces assemblages nouveaux ?

– Ce sont, reprit le lapidaire, les groupes des vertus, des fétiches, des médicaments, et des saints.

« Les vertus se succèdent de haut en bas, par ordre d'excellence.

– La sardoine qui brille au sommet signifie donc la qualité que vous prisez par-dessus toutes ?

– Oui, c'est l'emblème de la pudeur.

– Peuh ! fit Benvenuto. Alors, cette opale, la dernière, représente probablement le pouvoir de charmer ?

– Vous l'avez dit.

– Mais, reprit l'illustre ciseleur, ces pierres rendent-elles vertueux qui les porte sur soi, ou bien…

– Elles ne sont que des images, fit Hermann. Voici les fétiches, au contraire, qui sont des porte-bonheur, des alliés, écartent les cauchemars et désignent les filons d'or, comme la topaze ; la calcédoine met en fuite les fantômes et rien ne vaut l'améthyste pour chasser l'ivresse.

– Je savais cette propriété, dit Benvenuto, aussi ne m'a-t-on jamais vu paré d'améthystes. Je me plais à mettre l'ivresse au rang des bienfaits les plus respectables et je plains de tout cœur les prélats de ce que l'anneau pastoral enchâsse un joyau si funeste… Après tout, c'est une commodité de le porter non à l'encolure, mais au doigt ; on se dévêt plus secrètement d'une bague que d'un collier. Mais, poursuivons. Voici, m'avez-vous dit, la pharmacie minérale ?

Hermann eut un petit rire, puis, reprenant son visage sévère :

– Ces drogues-là guérissent, répondit-il. Elles rendent la santé à ceux qui croient en elles. La foi remue de même paralytiques et montagnes, et j'ai accompli beaucoup de cures étonnantes, parce que le nombre des malades est moins grand que celui des crédules.

– J'admire ces objets inertes qui exécutent de grandes choses sans force, murmura Benvenuto.

– Ils possèdent en tout cas la puissance qu'on leur prête, la plus formidable de toutes, puisqu'elle est à la mesure sans borne de l'imagination ; et puis, que sait-on… peut-être les créatures, rochers, bêtes et plantes, sont-elles reliées par d'obscures affinités…

– Oh !…

– Comprenez-vous, dit Hermann en saisissant le bras de l'artiste, la matière universelle est la même sous des aspects multiples ; nous sommes de l'argile dont se composent loups, reptiles, mollusques, rosiers, mousses, coraux et granits. Insensiblement, par degrés imperceptibles, en pente douce, sans choc, la nature passe du caillou : ombre et stupidité, à Benvenuto Cellini : lumière et génie…

Mais, au lieu de poursuivre sur ce ton, Hermann sembla se raviser et il ajouta seulement :

– Or, certains végétaux sont des remèdes efficaces ; pourquoi refuser ce titre à des minéraux, à peine plus éloignés de nous dans l'échelle des êtres ?

– Hum ! fit la lumière géniale, vous êtes un flatteur, maître Hermann, car cette escarboucle – un simple caillou cependant – jette des flammes que ma pauvre cervelle ne saurait jamais produire.

– Elle guérit de l'ophtalmie, reprit Hermann tout à fait calmé, et sa voisine, l'onyx, arrête les hémorragies ; voici le jade encore, pierre néphrétique, et le rubis par quoi l'on traite la mélancolie...

– Oh ! l'admirable pierre ! s'écria Benvenuto.

– J'en ai de plus belles, dit fièrement Hermann.

– En effet, voici une émeraude où paraît condensé l'infini glauque de l'océan.

– Je ne voulais point parler de cette émeraude, dit Hermann. Elle resplendit au tableau des saints pour y figurer Jean l'Évangéliste, et voilà près d'elle saint Mathieu.

– Encore une améthyste !

– C'est, en effet, la pierre des cultes religieux, et les anciens l'avaient consacrée à Vénus.

– Cette religion est plaisante, dit l'incorrigible orfèvre, car les dogmes en sont indiscutables. Améthyste, sois absoute ! Je pardonne saint Mathieu en faveur de Cypris.

Hermann désignait d'autres bataillons flamboyants :

– On a formé des alphabets avec les lettres initiales du nom des pierreries.

Puis, avec un sourire, il ajouta :

– Voici de quoi écrire Vénus en dix langues. Nous commencerions par la vermeille, qui est ce corindon écarlate. En sanscrit, il faudrait le remplacer par le diamant : vajira... En hébreu...

Mais Benvenuto contemplait déjà une vaste table scintillante. C'était un rendez-vous de toutes les familles de gemmes ; et chaque échantillon pouvait passer pour le plus beau du genre qu'il représentait. Du diamant au jais, l'arc-en-ciel avait répandu sur ces merveilles les mille gammes de son septuor. Les cristaux, d'un volume surnaturel, montraient une eau pure comme le vide, et l'orient des perles les faisait comparer à des rayons de lune roulés aux doigts des sirènes ; auprès de chacune gisait un petit morceau de racine de frêne pour leur conserver longue vie. Les facettes miroitantes de tous les joyaux dénotaient un art de magicien chez l'ouvrier qui les avait taillés ; du reste, Benvenuto s'aperçut bientôt qu'un seul diamantaire pouvait les avoir façonnés de cette manière savante et mystérieuse qui les allumait dans l'ombre.

Hermann choisit au milieu de cette constellation un astre blond :

– Qu'est cela ? dit-il.

– Topaze, répondit Benvenuto.

– Non pas : saphir. Et comment nommerez-vous ce brillant bleu ?

– ... Diamant de Cypre, fit en hésitant Benvenuto qui n'osait pas prononcer : saphir.

– Non, triompha Hermann, c'est un béryl, une émeraude !

– Mais, cependant...

– Tout le prouve : les brisures des pierres cassées, leur densité, leur contexture, leur composition.

– En vérité, avoua le Florentin, je n'aurais jamais supposé cela ; mais votre saphir et votre émeraude ne pourront manifester aux yeux du monde tous leurs mérites, puisque le plus intéressant est justement de paraître ce qu'ils ne sont pas... Il siérait aux Vénitiens, dans les mascarades du carnaval, d'en étaler de semblables : tout en eux serait déguisé, même la parure.

– Si quelqu'un désirait se travestir, repartit Hermann, je pourrais lui prêter ce costume. Il est en soie brodée de bijoux ; douze gemmes forment le pectoral, traçant des colonnes mystiques, et, sur chacune, comme en un cartouche, des mots sont gravés : les noms des douze tribus d'Israël ; c'est la robe du grand prêtre Aaron et le rational des jugements tissé d'or et de lin tordus, sur l'injonction de Jéhovah.

« À côté, reposent le collier de fiançailles donné par Joseph à la Vierge, le monocle vert de Néron ; enfin voilà des camées grecs, des intailles millénaires, des dieux chinois en porphyre, des scarabées de jade dont l'achèvement a rempli des existences d'Égyptiens ; tous bibelots vénérables par la pureté du travail, la vieillesse ou l'histoire ; ils racontent assez complètement les usages différents auxquels les générations et les peuples ont employé les pierreries, et prouvent en quelle estime ils ont toujours tenu ces sœurs lointaines.

Benvenuto, ravi, maniait avec précaution les colliers naïfs des femmes primitives, égrenait les chapelets aux dizaines superbes ; des ferrets guillochés enrichis d'aigue-marine firent claquer dans ses mains leurs jointures exactes ; d'un coup d'œil amical, il salua certain pendant de cou finement ciselé : assemblage de chimères et de nymphes qu'un Apollon Citharède présidait parmi les volutes d'or et les gemmes ; un fil de perles soupesé bruit doucement ; et comme la clarté traversait le fond translucide et violet d'un camée au regard charmé de l'artiste, Hermann le tira de son extase.

– Venez, dit-il, tout ceci n'est rien. Je vais vous montrer un spectacle vraiment digne de votre admiration.

La lourde porte fit entendre en se fermant son bruit laborieux de ferrailles. Les deux hommes marchèrent un instant au sein des ténèbres, puis, Hermann ayant réveillé le même tintamarre aux profondeurs d'un autre battant, ouvrit, sur le côté du couloir, un cabinet.

Ils entrèrent. Mais Benvenuto s'arrêta, stupéfait, à la vue d'un écrin de velours vert où des rubis, fabuleux de grosseur et d'éclat, dardaient comme autant de braises leurs rayons écarlates. Ils avaient l'air d'étincelles divines dérobées par quelque Prométhée au feu éternel de la Vie. Il y en avait neuf ; ils formaient un cercle éblouissant, rompu cependant par un vide : la place d'une pierre absente, semblait-il.

– Cela est impossible, murmura Benvenuto, ces rubis reflètent une fournaise cachée ou tout au moins un morceau de drap cardinalice dérobé dans le couvercle de l'étui…

Il en prit un, mais l'éblouissement rouge persistait, même dans ses mains jointes ; tant qu'un mince filet de lumière pouvait tomber sur une facette, le rubis tout entier irradiait, et l'orfèvre voyait le bord de ses doigts fermés s'illuminer de pourpre, comme si, au travers de cet écran, il avait regardé le soleil.

Il replaça l'objet inquiétant sur le velours vert et demeura soucieux à regarder briller la couronne infatigable.

Au bout d'un instant :

– La dizaine de prodiges n'est pas complète, fit-il.

– Non, répondit le lapidaire, mais elle le sera bientôt.

– Vous êtes un homme surprenant. Chacun de vos rubis semble sans pareil ; or, vous en possédez neuf qu'il est impossible de différencier l'un avec l'autre tant ils sont identiques ; et voilà que vous affirmez sérieusement acquérir bientôt le dixième semblable aux autres en tous points !... De quel pays faites-vous donc venir ces corindons géants ?

– Vous avez là une dague dont la poignée est remarquable, dit Hermann, la coquille de la garde est fouillée à ravir. En êtes-vous l'auteur ?

Et Benvenuto, voyant que le vieillard se refusait poliment à répondre, prit congé de lui avec force civilités, et crut, en quittant cette maison, sortir d'une légende.

III

On croit aisément des personnes silencieuses qu'elles veulent dissimuler leur pensée ; Hermann parlant peu, les Génois s'imaginaient volontiers que sa vie recelait un mystère et ils s'efforçaient de le découvrir, comme toute bonne population soucieuse de perpétuer cette coutume ancestrale, base des sociétés urbaines : l'indiscrétion.

La plupart soupçonnaient l'Allemand d'hérésie, car son arrivée à Gênes avait coïncidé avec les premiers troubles luthériens. On en concluait généralement à sa couardise, mais certains absolvaient une fuite, d'ailleurs problématique, en disant que le possesseur d'une telle fortune, s'il était devenu suspect à ses compatriotes, eût été lestement dépouillé de ses biens, dont il était responsable envers sa fille unique : Hilda. Or, cette vierge du Rhin avait séduit le joaillier Danielo Spirocelli, jeune Ligure au teint brun, coiffé de frisons noirs. Spirocelli, enivré de tant de blondeurs inaccoutumées et voluptueusement amusé par cette voix fraîche qui cadençait avec drôlerie les mots italiens, avait épousé les blondeurs et la voix, sans souci apparent des croyances, de la nationalité de son beau-père, non plus que de ses grandes richesses. Ce mariage, pourtant, avait acquis d'avance à un citoyen de la République le trésor de l'émigré, et les pires langues ne pouvaient s'empêcher de rendre grâce à Luther et à Lucifer, son patron, d'avoir dirigé de ce côté Hermann, sa fille et ses millions.

Aussi bien, le lapidaire menait l'existence la plus calme, ne donnant point prise à la malveillance. Il vivait maintenant seul dans sa maison de la rue des Archers, avec un serviteur unique, amené d'Allemagne : Smaragd ; c'était l'homme au petit front qui, dans la boutique, vendait des pierres précieuses et dont Hermann avait fait son valet et aussi son compagnon.

Toute la journée, le vieillard se tenait chez lui afin de recevoir les acheteurs, les vendeurs et les curieux, et, chaque soir, régulier comme sa montre d'argent, il se rendait à la demeure luxueuse de Spirocelli, soupait en compagnie de ses enfants comme entre le Jour et la Nuit, et se retirait paisiblement, toujours à la même heure. L'exactitude continuait à le gouverner et, au coin de la rue des Archers, devant une madone à l'Enfant Jésus nichée dans le mur, il ne manquait pas de se demander si Hilda et son mari Danielo n'allaient pas bientôt le faire grand-père et lui donner un petit crépuscule ou bien une petite aurore.

Ces habitudes de bourgeois pacifique plaisaient aux citadins et, s'ils cherchaient à pénétrer le secret supposé d'Hermann, c'était simplement l'irrésistible instinct de savoir qui les y poussait. Même, ils professaient une estime particulière envers celui dont la maison ajoutait un nouvel attrait à leur Ville, et ils eussent été fort ingrats de nier qu'Hermann avait sauvé un grand nombre d'entre eux.

En effet, une rumeur confuse, venue on ne sait d'où, avait un jour répandu cette nouvelle que le lapidaire connaissait l'art de guérir l'âme et le corps à l'aide de ses pierres. On citait de véritables résurrections : la femme du changeur, la signora Giuseppa Tornelli, qui se mourait d'insomnie perpétuelle, s'était mise à dormir trois jours et trois nuits durant, grâce à une chrysolithe cousue dans son scapulaire ; aveugle depuis plusieurs années, l'armateur Beppo Pranza était maintenant le premier à voir les mâts de ses vaisseaux attendus dépasser l'horizon bleu du golfe : un diamant dont il se frottait les paupières tous les matins lui avait rendu le jour.

Il est vrai que la signora Tornelli avait bu certaine potion préparée par le médecin lapidaire, afin de hâter les effets de la chrysolithe ; il est aussi vrai que, pour renforcer l'action du diamant, Hermann avait coupé quelque chose avec une petite lame dans l'œil de Beppo Pranza ; mais ce n'étaient là que pratiques accessoires et manœuvres humaines susceptibles tout au plus de faciliter l'influence occulte et surnaturelle des gemmes.

Pourtant, quelques envieux, ayant remarqué que le guérisseur opérait toujours de la sorte, c'est-à-dire qu'à l'imposition des pierres il joignait systématiquement l'intervention d'un breuvage, d'un onguent ou d'un couteau, s'emparèrent de cette particularité. À force de patience, ils parvinrent à tirer de Smaragd, être simple et confiant, que souvent, son maître s'enfermait dans une chambre où se trouvaient, d'un côté, les ustensiles d'un apothicaire, cornues, alambics, flacons de formes et de dimensions innombrables, des instruments de chirurgie, et, de l'autre, l'outillage nécessaire à la taille des cristaux.

La calomnie voit-elle une hache dans la masure d'un bûcheron, elle proclame : voici la maison du bourreau. Les jaloux décrétèrent que, la cornue étant l'attribut des alchimistes, Hermann cherchait sans doute la pierre philosophale, la seule qui lui manquât, et que le titre de sorcier lui convenait à ravir. Ses pierres resplendissaient d'un éclat invraisemblable, quoi d'étonnant à cela ? Chacune était composée d'un regard humain ! Seigneur ! En avait-il fallu des yeux crevés pour animer une telle multitude de feux ! Le tortionnaire n'avait eu que le temps de quitter l'Allemagne : on s'y préparait à le brûler vif en place publique !...

Et toutes sortes d'accusations commençaient à s'élever de ce cercle de haine et d'amertume. Elles gagnaient peu à peu les plus naïfs des indifférents, lorsqu'un des calomniateurs, assez bel homme, vit avec grand déplaisir le galbe de sa gorge se déformer, se gonfler et pendre vilainement sur le pourpoint, sans que fraise aux godrons démesurés ni collerette taillée spécialement pussent dissimuler la tumeur horrifique. Le bellâtre, au désespoir, courut chez Hermann. Il rapporta un collier d'ambre qu'il mit à son cou monstrueux et, peu de jours après, le goitre avait disparu de concert avec la médisance.

Cette aventure comique ayant soulevé au profit du lapidaire l'hilarité puissante de la Ville, les chalands affluèrent dans sa boutique plus nombreux qu'auparavant, et pour satisfaire à tant de désirs, des trafiquants de tous les pays vinrent plus fréquemment trouver le colosse pâle, afin de lui vendre leurs précieuses marchandises.

La petite rue s'emplissait de tous ces gens, et son étroitesse leur donnait l'aspect d'une foule qui parfois s'animait jusqu'au tumulte quand les badauds flânant sur le port avaient signalé l'arrivée d'un vaisseau exotique. En effet, nombre de felouques allongées, de caravelles aux antennes courbes et pointues, venaient incessamment jeter l'ancre près des hautes galères de la République ; et cette flottille gaiement disparate, amarrée contre l'escadre comme pour en corriger l'austère uniformité, amenait souvent à Gênes des courtiers, des amateurs, attirés par la réputation d'Hermann et venus pour lui proposer des ventes ou des achats.

Alors, parmi les chuchotements intéressés, Hindous, Turcs, Africains trouaient la cohue dont la ruelle s'encombrait, et l'on voyait disparaître par la petite porte sculptée, sous des turbans lourds de broderies, ou coiffés de fez inélégants, soulevant sur leur passage soit des murmures émerveillés, soit le glapissement du sarcasme, tous ces personnages ahuris, en qui le peuple de Gênes, convaincu d'être le peuple normal, applaudissait tantôt et tantôt bafouait des exceptions magnifiques ou ridicules.

Hermann présentait ses collections, et il achetait des pierres, tandis que Smaragd les vendait ; cela était ainsi réglé. Le maître ne négociait une vente que s'il était question de grave maladie. Pour livrer de simples parures, Smaragd suffisait à la besogne, et le peu de science qu'il avait apprise dans l'intimité du lapidaire lui permettait de dispenser les remèdes usuels et de soigner les indispositions. Il distribuait les gemmes en petits fragments, car il fallait bien que chacun pût recouvrer la santé, même le pauvre ; seulement, un magistrat opulent venait-il à consulter, Smaragd lui laissait entendre que les bijoux de poids suscitaient plus rapidement une guérison plus radicale qu'une infime parcelle ne l'eût fait, et les nobles comprenaient tout de suite que les médicaments doivent être à la mesure du malade.

Parmi les clients, il y avait beaucoup de femmes, et elles achetaient en grande quantité l'aimant, le cristal de roche et le grenat, parce que l'un supprime la douleur des accouchements, l'autre augmente le lait des mères et le dernier aveugle les maris trompés. C'est pourquoi des matrones sereines entraient avec dignité dans la boutique et rencontraient souvent de folles épouses qui s'en échappaient, rouges et furtives, serrant leur mauvais talisman.

En quittant Hermann, les marchands passaient devant Smaragd, et celui-ci trouvait souvent le moyen de les tenter, si bien qu'ils achetaient à titre d'amulette une pierre dont ils venaient de vendre la semblable en tant que denrée commerciale. Quel Arabe n'eût pas été séduit par les appas de la turquoise qui, attachée au sabot d'un cheval, l'empêche de broncher ? Et les pêcheurs de corail ou de perles n'étaient-ils point raisonnables de se procurer le monde d'or, cette providence du nageur ?

Smaragd, si gauche une fois séparé de ses balances et de ses coffrets, excellait dans son métier et trouvait des paroles persuasives pour dévoiler le mal ou le danger et convaincre les clients de l'efficacité de ses joyaux-drogues ou de ses bijoux-amulettes. Tous les courtiers de profession, réunis le soir au fond des tavernes, possédaient chacun quelque babiole bienfaisante provenant des magasins d'Hermann, et ils se les montraient naïvement l'un à l'autre, en devisant des choses de leur métier.

Ceux-là n'avaient point sujet d'être surpris par la richesse du lapidaire. Ils le considéraient comme un artisan fort clerc, habile au négoce, et comme un tailleur de diamants d'une adresse peu commune. Ils connaissaient à sa boutique des habitués fastueux : des souverains s'y fournissaient par leur canal, le doge était acheteur fréquent et payeur ponctuel ; enfin un fleuve d'or coulait dans la rue des Archers et l'on déclarait fort naturel que celui dont le génie avait détourné le Pactole y puisât superbement, non dans un but de lucre, mais pour amonceler en artiste les plus belles pierreries de la création.

Un courtier rappelait alors que tel saphir de la collection avait passé par ses mains ; tel autre racontait les mésaventures d'un diamant cédé l'année d'avant au vieillard et qui avait appartenu au défunt duc de Bourgogne ; un troisième disait d'une émeraude qu'avant de luire dans la fameuse chambre, elle avait été avalée par un serviteur fidèle tombé dans une embuscade. Bref, l'histoire du trésor d'Hermann était souvent répétée au bruit des hanaps entrechoqués, tandis que les dés roulaient.

Mais beaucoup de pierres, et non des moindres, étaient de provenance inconnue, et au nombre de celles-ci les rubis de l'écrin vert ; à leur endroit, les buveurs se perdaient en conjectures et soutenaient les suppositions les plus inadmissibles ; aucun n'avait, au cours de ses voyages, contemplé pareils joyaux, même à Ceylan ; et puis, comment expliquer leur multiplication et deviner quel rajah en déconfiture se démunissait presque chaque année d'une telle merveille au profit d'Hermann ?

Était-il possible qu'un écrin pareil existât réellement ?

Parvenus à ce point de la conversation, quelques-uns pensaient peut-être certaines choses ; mais comme le lapidaire rémunérait ces hommes largement et sans retard, nul ne se souciait de prononcer des phrases nuisibles à une bonne renommée qui faisait leur fortune. Et de nouveaux entretiens se mêlaient au choc de l'étain, au roulement des osselets hasardeux.

Hermann devinait les racontages. Il avait senti nettement l'hostilité de ses adversaires et béni l'aventure opportune du goitre qui l'en avait délivré, pour quelque temps du moins. Mais, dans cette occasion, pensa-t-il, quelqu'un avait dénoncé ses longues retraites dans la chambre aux cornues ; qui ? Smaragd assurément, puisque nul autre que lui ne connaissait l'existence de cette salle et de son contenu. Cette délation méritait une semonce, malgré l'inconscience et la bonne volonté du coupable. Il fut donc tancé paternellement et sans colère. Tout surpris d'avoir mécontenté son maître, il jura de ne plus souffler mot de ses actions ; mais la réprimande avait donné à celles-ci une importance mystérieuse, insoupçonnée jusqu'alors, et Smaragd se mit à les épier.

Toutes les fois qu'il eut à mettre en ordre la chambre détestable, cause première de l'admonestation, il en inspecta soigneusement tous les coins, et si Hermann avait été plus clairvoyant, il aurait remarqué avec un étonnement satisfait l'absence de poussière et de toiles d'araignée dans les endroits les plus inaccessibles, tant Smaragd mettait d'ardeur à fouiller méticuleusement les cimes des armoires, à sonder les gouffres des tiroirs et à scruter la forêt des fioles d'un torchon soigneux et indiscret.

Il ne trouva rien. Dans un coffre, des lancettes, des scalpels gisaient, l'air méchant et nu ; leur aspect donnait la sensation d'une coupure ; des vases étaient remplis d'onguents, de liquides aux couleurs équivoques ; des ballons de verre enfermaient un vide plus inquiétant qu'une liqueur empoisonnée ; un foyer, noir, était sans feu ; nul cristal ne luisait sur l'établi du diamantaire. Tout cela semblait dormir d'un sommeil sournois et attendre le réveil inconnu qu'Hermann provoquerait. Smaragd, de plus en plus absorbé dans ses recherches stériles, redoublait vainement d'ardeur ; et sa curiosité déçue, fouillant de la trousse au laboratoire et de l'officine à l'atelier, allait d'un problème insoluble à des énigmes encore plus indéchiffrables.

La difficulté de ces perquisitions s'aggravait d'ailleurs de ce qu'il en ignorait le but précis. Persuadé de faire d'importantes trouvailles, il n'aurait pu dire leur nature, et ce niais, acharné à la poursuite de découvertes chimériques, accomplissait un exploit d'apparence tellement stupide, qu'on aurait pu se demander s'il n'y avait pas là quelque chose de fatal.

N'ayant pas réussi dans ses investigations, il résolut de surveiller les agissements de son maître lorsque celui-ci s'enfermait dans la chambre. Hermann y travaillait presque toujours le soir, après son retour de la maison Spirocelli, et son labeur se prolongeait parfois fort avant dans la nuit. Bien souvent, Smaragd avait entendu le grincement du diamant sur le diamant, des bruits de bouteilles remuées, et la respiration essoufflée du lapidaire qui, se faisant très vieux, geignait à la tâche, certaines nuits de fatigue. Il était même arrivé qu'il ne quittât sa besogne qu'au matin, livide, avec les pommettes rouges et l'œil creux, mais alors il venait d'achever la taille de quelque joyau favori, et c'est aux clartés de l'aurore que les rubis géants avaient presque tous essayé leurs facettes neuves.

Smaragd s'en souvenait bien. Ces aubes-là étaient inoubliables. Comme il avait dû peiner, le pauvre maître chancelant, pour changer en flammes dans cette chambre de veille les gemmes qu'il y avait apportées troubles telles que du verre ou bien obscures comme des cailloux !...

Et le valet se plaisait à revoir par le souvenir la forme première des pierres aujourd'hui parfaites de symétrie et parvenues au paroxysme de leur scintillement grâce à toutes ces nuits blanches.

Il voulut alors évoquer l'apparence primitive des rubis, et soudain, une idée essentielle se déploya dans son esprit, si brusque, si énorme, qu'il crut sa tête trop étroite pour contenir une pareille explosion : *les rubis étaient sortis de la chambre sans y être jamais entrés*. Puis, ayant tout de suite aperçu, comme de loin, cette conclusion sensationnelle, sa pensée machinale se mit à gravir les derniers échelons de raisonnement qu'il lui restait à franchir pour arriver logiquement à cette étrange solution :

Smaragd avait ignoré l'existence de chacun des rubis jusqu'à ce que Hermann, après de longues détentions justifiées en partie par la délicatesse de leur taille, les eût exhibés un par un et d'année en année, tels qu'ils reposaient actuellement sur le velours vert.

Mais pourquoi eût-il caché ces joyaux, contre sa coutume, quand ils étaient encore bruts ou mal taillés ?

Se trouvaient-ils donc dissimulés dans la chambre ?

Quelqu'un les avait remis à Hermann par une fenêtre ?...

Le jugement rudimentaire et droit de Smaragd ne pouvait admettre que de semblables explications, les plus naturelles ; mais comme elles étaient incompatibles avec les habitudes de son maître, et que nulle cause d'une dérogation à ces règles immuables n'apparaissait plausible à Smaragd, il se refusait à tenir pour vraies les seules présomptions rationnelles, et, bouleversé par ce labeur cérébral inusité moins encore que par son résultat, il retournait en tous sens l'idée affolante et dut bientôt s'avouer que, le raisonnable se trouvant impossible, la vérité ne pouvait être que dans l'absurde.

Et Smaragd, voyant l'ombre s'épaissir à mesure que ses yeux devenaient plus perçants, employa toute sa vigilance à observer les manœuvres d'Hermann cloîtré dans la salle mystérieuse.

IV

Quelques mois s'étaient écoulés depuis la visite de Benvenuto Cellini, et Smaragd venait à peine de mettre à exécution ses projets de surveillance, lorsque Hermann, se retirant chaque soir parmi son triple attirail de chirurgien, de chimiste et de diamantaire, parut entreprendre fiévreusement un nouvel ouvrage.

Voir l'ouvrier nocturne était impraticable, les fenêtres de son réduit se couvrant de volets opaques et dominant la rue de la hauteur d'un étage ; la porte en était close avec soin, nul fil de clarté ne l'encadrait et le trou de la serrure, hermétiquement bouché, ne projetait pas sur la muraille opposée du couloir sa silhouette lumineuse.

Smaragd écoutait donc. L'oreille collée au bois de l'huis, retenant son haleine, sans bouger, de peur d'être surpris, il se mettait à l'affût dès l'entrée d'Hermann dans sa geôle, et ne quittait sa position que s'il entendait le pas de son maître venir vers le seuil. Il grelottait, à cause de ses pieds nus, déchaussés pour une marche imperceptible, et réprimait à grand-peine ses frissons qui faisaient trembler sourdement le vantail.

Malgré toute son attention, tendue à l'extrême, il distinguait seulement des bruits incertains et rares, et parfois il lui était malaisé de les discerner dans le fourmillement du silence. Il eût voulu faire passer toutes les forces de la vie à son oreille et donner à l'ouïe toute l'activité des autres sens ; sa volonté impuissante s'exaspérait, et son désir d'entendre devint si impérieux qu'il perçut dans le repos universel des bruits fantômes, de même que ses yeux eussent vu des formes spectres au sein des ténèbres désertes.

Dès lors, la réalité et l'hallucination se confondirent, la lassitude croissante augmenta cette confusion d'heure en heure, de nuit en nuit, de semaine en semaine, et Smaragd – à bout de force après tant d'immobiles insomnies, découragé, sentant son ardeur tomber devant un remords tardif depuis qu'Hermann, au sortir du laboratoire, avait failli découvrir sa faction somnolente – abandonna la partie et s'en fut derechef ronfler du crépuscule naissant à la fin de l'aube.

Il se contenta d'observer la chambre en y mettant l'ordre quotidien, et les milles objets de toute sorte ne lui apprirent rien de nouveau.

Cependant, le lapidaire persévérait dans son œuvre et le valet repenti ne considérait plus cette entreprise obscure que comme un fléau trop évident. C'était pitié de voir le géant pâlir et se courber chaque jour davantage, épuisé par sa tâche secrète.

Au milieu des murmures sans nombre qui avaient traversé l'anxiété de ses guets, Smaragd croyait avoir démêlé de longs gémissements, plus douloureux que les plaintes brèves arrachées d'ordinaire à son maître par la souffrance d'un effort. Mais c'était sans doute une exagération auditive due à l'énervement. Aussi bien, le régime épuisant d'Hermann, beaucoup de labeur et peu de sommeil, eût pâli et courbé l'athlète le plus florissant.

Or, la durée de ce surmenage excédait la longueur des périodes similaires dont Smaragd se souvenait, et il se disposait à faire part de ses craintes à la fille de son maître, quand les veilles inquiétantes prirent fin brusquement. Mais ce dénouement – bien qu'il fût semblable aux précédents et qu'il eût été prévu par le valet – n'en offrit pas moins des particularités tragiques et inattendues.

Un matin, Smaragd, passant près de la porte contre laquelle il s'était aplati tant de nuits, tel un haut-relief animé, entendit le frottement caractéristique du cristal qu'on use sur un autre. Hermann travaillait depuis le jour d'avant. D'habitude, il reposait à cette heure-là. Smaragd n'osa point lui parler et descendit.

Gênes s'éveillait aux premiers feux du jour. Quelques matelots ivres regagnaient leur bord. Une courtisane parcimonieuse profita de la solitude matinale pour acheter au rabais des bijoux de rebut ; Smaragd lui vendit trois perles qui avaient trépassé nonobstant les racines de frêne, et la femme s'en alla, masquée de sa mantille, car les rues se peuplaient et le soleil nouveau messied aux courtisanes défardées.

Le marchand de pierres défuntes huma la fraîcheur rose qui baignait la Ville et se retourna pour rentrer…

Hermann était debout devant lui. Ses habits noirs se mêlaient à l'ombre de l'intérieur pour le regard ébloui de Smaragd, et celui-ci ne voyait qu'une tête effrayante de blancheur, semblant posée sur la collerette, et deux mains exsangues dont l'une tenait un rubis fabuleux de grosseur.

Hermann parla, et sa voix était si faible qu'elle parut venir de la chambre lointaine et de la veille. Il dit :

– Le dixième rubis !... Ah ! Ah ! Fermé le cercle ! Le dixième ! Entends-tu, Smaragd ? Voici l'anneau complet, maintenant ! Le dixième ! Le dernier ! Ah ! Ah ! Ah ! Dix !... Dix ! De quoi parer dix bagues de Jéhovah ! De fameux doigts, Smaragd ! De fameuses bagues ! Le décalogue ! Le décalogue ! Il fera des météores quand il remuera les mains ! Dix ! Dix ! Dix !...

Il s'animait de plus en plus, loquace pour la première fois, et faisait rayonner le rubis avec des mines d'enfant, péniblement comiques de la part de ce grand vieillard. Smaragd crut reconnaître que la pierre dardait des flammes un peu jaunâtres, mais il avait d'autres sujets d'étonnement et ne pensait guère qu'à secourir son maître en démence.

Hermann gesticulait violemment, et vociférait de sa voix éloignée des paroles incohérentes ; puis, tout à coup, poussant un hurlement d'une furie surprenante, il s'abattit lourdement sur les dalles que le rubis abandonné érafla dans une traînée d'étincelles.

Ayant pris son maître évanoui sous les aisselles, Smaragd le hissa par l'escalier jusqu'à la chambre à coucher et réussit à étendre sur le lit ce corps de proportions peu maniables. Le lapidaire avait l'apparence d'un mort et les colonnes de la couche solennelle firent l'effet de quatre cierges au valet désespéré ; il ouvrit les croisées, afin que la vie intense de la nature et de la cité réveillées pût verser au malade son flot de bruits, de fraîcheur et de lumière ; puis il descendit et s'assura qu'il était impossible de pénétrer dans la boutique en son absence.

Quand il remonta, Hermann regardait dans le ciel un point qui semblait au-delà de l'infini. Son œil embué était manifestement trop délicat pour cet azur aveuglant, et sa faiblesse devait être comme écrasée sous l'agitation retentissante du dehors.

Smaragd ferma les fenêtres. Dans la pénombre, leurs vitraux allumèrent des taches de toutes les couleurs aux plis des draperies, aux angles des meubles ; la rumeur s'assourdit, et, parmi le calme de la demeure, on entendit le rythme nonchalant des horloges mesurer comme à regret le temps perdu.

– Maître, quelle pierre dois-je vous apporter qui puisse vous soulager ?

Hermann considéra son serviteur avec un bon sourire et fit de la tête un signe négatif. Il dit tout bas :

– Laisse-moi sommeiller, Smaragd ; cependant, va chez ma fille et dis-lui qu'elle ne me verra point de quelques jours, car j'ai besoin de me reposer et je désire être seul. Je ne veux pas, vois-tu, qu'elle s'inquiète d'un accident sans importance… dont personne ne doit se douter, ajouta-t-il avec un regard entendu.

Sentant l'allusion à ses bavardages passés, Smaragd rougit, baisa la main de son maître avec une effusion égale au serment le moins tacite, puis, ayant attendu que le malade fût assoupi, se retira sur la pointe des pieds et sortit.

Il avait depuis longtemps repris sa place au chevet d'Hermann, lorsque celui-ci leva des paupières moins bleues sur des yeux plus vivants :

– Où est le rubis ? s'exclama-t-il soudain.

Smaragd l'avait oublié.

– Cherche-le. Ensuite, tu le mettras avec les autres, à l'endroit qui lui est réservé. Il me tarde de savoir comblé ce vide. Donne-moi le trousseau de clefs ; voilà celles qui ouvrent le cabinet aux rubis, tu tourneras la grande six fois dans la serrure, et la petite : quatre.

Le vieillard distingua, au-dessous de lui, l'exclamation de Smaragd retrouvant la pierre et vit bientôt revenir son messager.

– Eh bien, lui dit-il, c'est un beau spectacle que tu viens de contempler !

– Oui, maître, répondit Smaragd d'une voix changée.

– Qu'y a-t-il ? Qu'est-ce qui te préoccupe ?

– C'est, repartit le valet, que vos rubis m'avaient toujours paru des *spinelles*, c'est-à-dire d'un rouge parfait, et je me suis aperçu tout à l'heure qu'on doit plutôt les ranger dans la variété des *balais*, dont la teinte est seulement rose…

Hermann tressaillit :

– Mon enfant, il est urgent pour toi, après les émotions de cette journée, de reprendre tes esprits dans une sieste réparatrice. Tu as vu de travers. Rends-moi les clefs, soupe copieusement et mets-toi de bonne heure au lit, afin d'être plus tôt à demain ; car, en vérité, l'air d'aujourd'hui n'est pas bon à respirer.

V

La guérison d'Hermann était rapide. Dès que la santé réapparut à son visage, dès qu'il eut quitté son masque de moribond et cessé d'être un objet d'effroi, il dépêcha Smaragd vers sa fille. Et Hilda Spirocelli lui tenait maintenant compagnie, tandis que le serviteur accueillait de nouveau dans la boutique élégants et infirmes. Les courtiers montaient dans la chambre à coucher et le lapidaire concluait des marchés dans la pompe de son lit à colonnes. Seuls, les étrangers se trouvaient implacablement évincés ; on ne visiterait pas les collections tant que le maître demeurerait incapable de les présenter luimême.

Smaragd se plongeait dans les réflexions les plus subtiles sur les événements récents. Il causait, pesait, empaquetait, recevait l'argent avec l'activité d'un vendeur accompli, mais il dut souvent causer mal, peser faux, empaqueter peu solidement, demander et recevoir des prix fantaisistes, car sans cesse il pensait aux rubis, et sa croyance de les avoir vus roses et de ne point s'être trompé, se confirmait davantage à mesure qu'il se retraçait la scène. Alors, il fallait décider que ces pierres changeaient de couleur selon l'état de leur propriétaire, par sympathie, comme l'opale et la turquoise, ou bien qu'elles ne revêtaient leur splendeur suprême qu'en la présence d'Hermann, et, dans ce cas, cela tenait de la magie. L'une des deux solutions s'imposait et Smaragd attendait que le sort justifiât soit l'une, soit l'autre, ou bien laissât, comme il était probable, la question sans réponse.

Au-dessus de cette angoisse boutiquière, Hermann se complaisait en l'intimité reconquise de sa fille. Aussitôt que le départ d'un courtier les laissait seuls, Hilda contait dans le cher langage d'Allemagne les nouvelles intéressantes descendues de la noblesse ou montées du peuple vers elle, et les caquets de son entourage bourgeois. Ce babillage frivole distrayait le vieillard ; après tant de travaux obstinés et de secousses, il éprouvait un repos délicieux à penser tout simplement que les époux Malatesta, toujours ennemis, avaient procédé en pleine rue à l'escarmouche la plus réjouissante ; que la famille des Salvaggi logeait à présent dans son palais neuf, et que l'ancien venait d'être acheté par un étranger. Et de temps en temps, il posait à sa fille des questions afin d'encourager sa loquacité et lui donner comme un élan nouveau.

– Qui donc possède maintenant le palais des Salvaggi ?

– Père, c'est, je crois, un Vénitien. Il s'appelle le comte Pisco, mais il n'a, dit-on, que le titre d'écuyer ; ce n'est pas lui qui doit habiter le palais.

– Et son maître, le connaît-on ?

– Non, mais je le devine opulent et délicat, aux splendeurs qui meublent déjà son logis. Il y a dans le port une gabare chargée de tapisseries éclatantes, de dressoirs minutieusement sculptés, d'objets gracieux et rares, et le bateau se vide promptement, tandis que la vieille demeure s'emplit de la cargaison royale. Par les fenêtres ouvertes, j'ai pu regarder ces richesses, et quand la façade hautaine du palais m'est apparue de nouveau, mes yeux encore émerveillés ont cru voir une masure.

« Il faut que j'apprenne quel est ce seigneur, car nous ne saurions trop connaître les gens qui nous fréquentent ; et sûrement celui-ci fera mainte emplette chez vous, mon père, et chez Danielo. L'insolvabilité se cache parfois sous des dehors pompeux...

Hermann eut un froncement bref des sourcils : Hilda, sous l'influence de son mari, devenait âpre au gain, et cela s'accordait mal avec les idées généreuses de son père. Elle lui laissa voir ce penchant plus clairement encore, le lendemain.

Ce jour-là, tout essoufflée, elle se précipita dans la chambre d'Hermann, et, dès l'entrée, lui dit :

– Réjouissez-vous, mon père, la Providence nous favorise : le palais Salvaggi loge la richesse et la coquetterie, c'est une femme qui l'habite. Et quelle femme ! Mon père, on raconte qu'elle a été chassée de Venise pour excès de parure ! Là-bas, les lois somptuaires sont, paraît-il, inexorables, et comme, malgré leur défense, la marquise Angela Calderini s'obstinait à porter des perles, le provéditeur au luxe l'a exilée. Elle est arrivée hier au soir, et déjà le vieux palais s'anime pour des bals et des réjouissances. L'esprit du faste se serait abattu sur la Ville que nous n'aurions pas lieu d'être satisfaits davantage, car les Génoises voudront rivaliser de splendeur avec la Vénitienne, et les orfèvres se féliciteront de ce que la lutte des deux cités prenne pour théâtre les salles de fêtes et non plus la mer.

– Ma chère enfant, nous sommes parmi les plus fortunés... répliqua Hermann. Ton avidité est donc insatiable ? Les bénéfices que tu supputes dans ton avarice sont chimériques, car Gênes est encore très hostile à Venise, et peut-être la signora Calderini passera-t-elle pour une espionne dont chacun s'écartera... et puis, profiter de la corruption d'une ville pour s'enrichir, serait-ce une action d'éclat ? Et ne vaudrait-il pas mieux pour la République abriter encore la guerre civile et la peste, plutôt que la débauche et la marquise Calderini ?... Elle est sans doute très belle ?

– Non, mon père, je l'ai aperçue tout à l'heure à sa terrasse. Ses cheveux roux, humides de teinture et répandus sur ses épaules, séchaient au soleil. C'était un spectacle anormal pour les Génois et les passants s'arrêtaient pour la regarder. Elle, insouciante, les regardait aussi. Les femmes la trouvaient presque laide, mais les hommes l'admiraient sans réserve.

– Je la déteste d'avance, fit Hermann, et je souhaite ardemment – comme je le pressens, d'ailleurs – que cette nouvelle venue soit une aventurière dont la Ville fasse justice.

La prévision de l'austère vieillard ne se réalisa qu'à demi et de la façon qui pouvait le moins contenter son désir de vertu et d'équité :

La population génoise fut bientôt persuadée qu'Angela Calderini n'était qu'une aventurière, mais malgré des accusations, du reste incertaines et sans preuve, les portes de tous les palais s'ouvrirent devant son sourire et l'on eût dit que chacun s'efforçait de faire oublier à cette souveraine du plaisir les attaques dont la foule seule devait être responsable.

Hilda Spirocelli ne parlait plus maintenant que de la marquise. Cet événement prolongé noyait les incidents quotidiens, et le lapidaire, de plus en plus vaillant, écoutait bon gré mal gré cent anecdotes dont la Vénitienne était l'héroïne. Mais les récits de la jeune Allemande rapportaient fort inexactement la rumeur publique. Hilda l'expurgeait avec soin, voulant amener son père à juger plus favorablement la riche prodigue, afin qu'il la reçût dans sa maison et tirât de sa coquetterie de grandes sommes d'argent.

Elle évoqua pour le convalescent les soupers féeriques dans les parcs illuminés, au son des orchestres, les croisières nocturnes des barques enguirlandées de lanternes, les cavalcades par la campagne sur des haquenées espagnoles, pomponnées à la madrilène et tintinnabulantes, les joyeuses charges derrière le vol inexorable des faucons, et surtout les fêtes un peu cérémonieuses et guindées que les nobles et le doge, « oui, mon père, le doge lui-même », avaient offertes à la signora Calderini.

Que cette folle affichât imprudemment des allures et des goûts trop vénitiens, ce qui ressemblait à une provocation ; que Pietro Pisco, son prétendu cousin, occupât auprès d'elle une fonction louche ; que la provenance de leurs ressources fût inconnue, peu importait à Hilda. L'essentiel était que leurs dépenses fussent nombreuses et soldées exactement, en bons écus sonores.

Angela étant allée choisir quelques bijoux parmi ceux de Spirocelli, ce fut une nouvelle occasion pour le lapidaire d'entendre louer celle qu'il persistait à mépriser, et sa fille s'employa si bien à la réussite de son projet, qu'elle arracha au vieillard ébranlé la promesse d'accueillir au milieu de ses pierreries la marquise Calderini.

Il était temps. Hermann reprit son existence coutumière, et par les entretiens dont la boutique résonnait constamment, il connut ce que sa fille lui avait tu, et, crédule aux bavardages parce qu'ils abondaient dans le sens de son aversion, certain qu'Angela et Pietro Pisco ne devaient leur opulence qu'à des forfaits, il eut besoin de se rappeler la foi jurée pour se résoudre à les laisser venir.

Vers le milieu du jour fixé pour l'entrevue, Smaragd prévint son maître de l'approche d'une troupe, sans doute l'escorte de la Vénitienne.

Hermann s'avança jusqu'à la porte pour accueillir la visiteuse et vit un nombreux cortège venir à lui dans le chatoiement des étoffes et le bourdonnement des voix ; cela faisait comme un flot houleux de plumes, de feutres et de soies, où se balançait une sorte de bateau.

La signora Angela Calderini, en effet, inaugurait une nouvelle extravagance, et sa litière avait la forme d'une gondole. L'avant redressait comme une fière encolure sa lame d'acier flamboyant au soleil, et le felze déployait une telle magnificence que les magistrats de la Sérénissime République n'eussent certainement pas laissé voguer sur l'Adriatique ce pavillon d'une richesse effrontée. De gros pompons d'or tournaient en guirlandes sur le toit, dégringolaient en suivant les angles des côtés et couraient au long du bordage ; la tente était de satin pourpre à reflets vermeils, et l'écusson portait, comme un défi suprême aux Génois, le lion de Saint-Marc, l'aile haute et la griffe sur les lois. De la poupe à la proue, des fleurs discordantes emplissaient la nacelle, et, sous la coque, une multitude d'écharpes bigarrées entrelaçaient l'infinité des couleurs. Huit porteurs érigeaient sur leurs épaules cet arrogant véhicule, et le lapidaire put s'imaginer que l'arche du dieu Mauvais-Goût s'arrêtait devant lui.

Attirés par cette procession inusitée, des têtes apparurent à toutes les lucarnes, visages amusés de femmes et figures d'hommes renfrognées par la vue de cet appareil hostile à leurs sentiments.

La gondole sombra dans un remous de la foule. De jeunes seigneurs aux noms historiques, plaisamment respectueux, balayèrent, de la litière au seuil, le pavé, et firent voler la poussière au vent de leurs panaches. Les porteurs, ayant tiré les rideaux de la caponera, laissèrent tomber le marchepied, et Angela Calderini descendit les degrés comme ceux d'un trône. Elle s'arrêta sur l'avant-dernier afin que sa caméristе pût la chausser de socques à la vénitienne, puis, gênée par cette rallonge disgracieuse cachée sous la longue jupe, l'air d'une impotente disproportionnée, cheminant clopin-clopant, la main aux épaules de deux jeunes hommes, elle approcha lentement d'Hermann sa beauté grasse et souriante, vêtue d'écarlate selon la préférence de ses compatriotes.

D'une patricienne de Venise, elle possédait tout ce que l'argent, l'art et la patience pouvaient acquérir. Elle portait l'accoutrement des femmes nobles ; comme les leurs, sa chevelure devait à l'artifice ses reflets de cuivre rouge ; elle avait pris leurs allures ; et son teint même, son teint blafard de recluse épaissie, rappelait, sous le même éclat emprunté, celui des dogaresses qui s'ennuyaient ducalement toute la vie à l'ombre des palais ou des gondoles closes, et qui, sur les terrasses où leurs cheveux se teignaient de soleil, préservaient l'aristocratique pâleur sous la visière d'une solana.

Mais à travers ces charmes, ou du moins ces dehors commandés par le caprice du moment, un être populacier transparaissait, pour certains yeux, aux lignes sans pureté du profil, aux doigts plébéiens dans leurs bagues et sous le point de Venise ; et le vieux lapidaire, mal prévenu par ses penchants secrets, se plut à croire que la rouée commère formulait en soi-même des pensées vulgaires dans un jargon de batelier.

Voilà comment Hermann la jugeait.

Mais les courtisans d'Angela, s'étant proposé un idéal plus convenable à leur âge que celui d'un septuagénaire, n'avaient garde de détériorer par trop de réflexions cette agréable poupée ajustée selon leur gré d'un bonnet à oreillons et d'une robe de brocart trop chaude dont un vertugadin en cloche soutenait les plis roides. Le corselet pointant bas et décolleté de même en carré, la boursouflure des manches, tout en elle – jusqu'au couteau de cuisine, d'or incrusté d'émaux, qui pendait à sa ceinture, comme il était d'usage en la ville de San Marco pour désigner les ménagères entendues – tout leur plaisait infiniment.

Ces modes s'accordaient du reste à souhait avec la créature qui les avait adoptées ; son pouvoir de séduction s'en trouvait doublé, et c'était là un grand bonheur pour Angela Calderini, car beaucoup de femmes de bonne volonté ont ignoré l'amour à cause que les costumes de leur époque les habillaient mal.

Hermann connaissait de longue date les cavaliers de la dame. L'un d'eux, Mario Cibo, la lui nomma, et, en phrases recherchées, pria le lapidaire de permettre à Phœbé l'accès du firmament étoilé, gageant que ses pierres s'éteindraient de dépit au regard stellaire d'Angela ; puis, désignant une manière de séraphin accommodé luxueusement, dont l'habit seul prouvait le sexe, et qui servait d'étançon à cette splendeur trébuchante, il dit que c'était là le comte Pietro Pisco, cousin et sigisbée de la marquise.

Impassible, mais heureux à part soi que la visiteuse peu souhaitée n'eût pour la devancer qu'un héraut de parole fade et banale, Hermann fit un geste de réception, et la petite cour entra derrière sa reine, dont la porte basse courba l'édifice chancelant.

Comme il y avait affluence, on proposa au lapidaire d'ouvrir toutes les chambres à la fois et Hermann y consentit parce qu'il y avait affluence de gens de qualité.

Smaragd saisit alors le moment où son maître se tenait dans la grande salle, et se glissa jusqu'au cabinet des rubis : leur éclat était insoutenable et du rouge le plus franc. Voilà qui réduisait à néant la deuxième conjecture du valet : la couleur plus ou moins vive des joyaux ne dépendait pas de la présence ou de l'absence d'Hermann. Smaragd se souvint alors d'une contre-épreuve qui acheva de le convaincre : dans la main même du lapidaire, le matin de sa crise, le dixième rubis avait lancé des éclairs jaunâtres.

Ces faits écartaient pour l'esprit de Smaragd toute prévention de sorcellerie. Transporté de joie, soulagé de soupçons, il regagna sa boutique où des freluquets menaient grand tapage.

Pendant que Mario Cibo faisait, par fanfaronnade et sur les instances de moqueurs, l'emplette d'une boucle ornée de jaspe, stimulant les orateurs, Angela Calderini goûtait l'enivrement d'un capitaine au milieu d'un arsenal.

Pour admirer plus à son aise, elle avait quitté ses hautes sandales, et maintenant, petite, alerte, relevant sa robe traînante, elle allait, avec des cris de passion, vers les bijoux séducteurs, abandonnait le rational d'Aaron pour courir aux fétiches, puis s'élançait vers l'exaspération d'un cristal plus voyant. Chaque pierre fut proclamée la plus belle ; c'étaient des compliments aux saphirs, des baisers aux douces perles défendue sur les lagunes, et ne voyant là, au mépris des classifications, que flammes et colifichets, la coquette avoua si franchement son vice effréné, qu'Hermann se dérida.

L'animosité qu'il avait contre Angela s'évanouit insensiblement, à cause, pensait-il, de leur amour commun pour les pierres précieuses, et peut-être... à cause du charme inexplicable de la Vénitienne. Mais cette dernière considération échappa tout entière à la perspicacité du vieillard. La puissance opérait sans qu'il s'en doutât, aussi n'en put-il démêler la nature et juger que, contre toute apparence, la force de cette femme n'était fondée sur aucun artifice, qu'elle était irrésistible et s'appelait la Jeunesse.

Or, s'il avait compris ses sentiments, Hermann les eût laissé grandir, car la grâce de la jeune femme n'éveillait point en lui de transports virils et honteux, mais son cœur d'aïeul tressaillait très tendrement devant cette grande allégresse puérile.

Il l'amena lui-même aux rubis, pour savourer le redoublement de son bonheur, et ne fut pas déçu. Elle prit les dix pierres, emplissant d'un chaos féerique la coupe de ses mains :

– Voyez, s'écria-t-elle, cela s'adapte on ne peut mieux à la couleur de mon costume. Vous savez, messire orfèvre, que je me vêts toujours de cette teinte... J'ai des coffrets pleins de rubis, afin que les joyaux et les étoffes soient d'accord ; mais les miens vont me sembler ternis, maintenant... Il faudra les vendre, Pietro, dit-elle au personnage ambigu qui la suivait pas à pas ; puis elle se tourna brusquement vers le lapidaire et lui dit, sur ce ton grave et mutin à la fois des enfants :

– Je vous achète vos rubis. Quel en est le prix ?

La stupeur des assistants causa un silence subit.

Chose étrange, Hermann s'attendait à cette proposition ; aussi répondit-il sans sourciller :

– Ils ne sont pas à vendre, madame.

– Pourquoi ?

– Mais, répondit le lapidaire embarrassé par cette demande déconcertante, parce que je les aime, et puis… qui serait assez riche pour les acquérir ?

– Vous les aimez moins que je ne les aime, car vous avez d'autres pierres qui partagent votre affection ; moi je n'aurais que celles-là. Quant à les payer, reprit Angela en promenant son regard sur le groupe des puissants seigneurs, quant à les payer… j'ai assez d'amis qui tiendraient à l'honneur de me les offrir…

Ici, les uns caressèrent leur menton assez niaisement, et d'autres, plongés aux abîmes de la pensée, examinèrent avec gravité qui une poutre, qui une dalle, revêtues tout à coup d'un intérêt puissant.

– … si je n'avais, poursuivit-elle, de quoi satisfaire moi-même à mes fantaisies les plus folles.

Là-dessus, les mentons reprirent leur liberté, et l'examen du plafond et du sol ne se poursuivit pas plus avant.

Angela ne riait plus, sa jeunesse avait comme reculé derrière les roides atours et les attraits postiches. Au fond de ses yeux gris passait une lueur perverse. Elle insista :

– Combien voulez-vous me vendre vos rubis ?

Hermann sentit revenir son inimitié primitive, ce coup d'œil venait de lui rappeler la mauvaise réputation d'Angela, les crimes que la voix publique lui imputait. Il ne vit plus dans cet être factice, diaboliquement rouge, aux mains pleines de feu, qu'un démon.

– Combien ?

– Je vous ai répondu, madame. Les trésors qui circulent des royaumes aux républiques, ceux que des argentiers jaloux conservent au fond des palais, les richesses englouties dans les océans et celles que la terre nous cache, tout cela joint à l'empire du monde ne serait pas un prix digne de mes rubis.

Puis, comme la marquise souriait à ces paroles, se méprenant à leur sens, il ajouta :

– Et si j'avais mes vingt ans, je ne donnerais pas ces pierres en échange de votre amour.

Quelques minutes après, la gondole tanguait et roulait au fil de la rivière humaine. Les rideaux entrouverts de la caponera laissaient voir Angela Calderini à côté de Pietro Pisco, baignés tous deux dans le jour écarlate du pavillon. Ils causaient avec animation, et le peuple se demandait, en suivant le couple rouge, quel infernal dessein pouvaient tramer ces gens singuliers.

On se disait qu'il est sacrilège de s'attifer à la façon des cardinaux, ou macabre d'endosser la souquenille du bourreau ; mais les jeunes hommes inventaient mille prétextes pour faire pardonner à la Vénitienne sa patrie, ses affronts et ses imprudences, en faveur de sa beauté.

VI

À son grand étonnement, Hermann Lebenstein revit souvent chez lui Angela Calderini. Elle semblait avoir oublié le refus dédaigneux du lapidaire à son offre inopinée, et venait, seule et simple, apaiser à tout moment son désir d'être plus belle par des emplettes considérables et répétées.

Jamais elle ne parlait des rubis.

C'était là un sujet de conversation réservé à l'orfèvre Spirocelli, dont la Vénitienne fréquentait aussi assidûment la boutique vermeille. Spirocelli qui, étant Génois, ne pouvait posséder qu'un esprit mercantile, fut promptement persuadé que son beau-père laissait échapper par manie une occasion exceptionnelle de vendre ses pierres.

À coup sûr, ni Hermann ni ses héritiers ne retrouveraient semblable fortune. Angela le certifiait, et d'ailleurs, si elle venait à acquérir les rubis, Danielo Spirocelli les monterait sur un diadème d'or aussi opulent qu'il le pourrait imaginer.

Il devenait donc nécessaire à la cupidité du gendre que le beau-père se défît de son trésor. Hilda se chargea d'endoctriner Hermann Lebenstein, et, sans vouloir s'expliquer, non plus que son mari, la convoitise acharnée de la Calderini, elle employa toute son astuce filiale à la satisfaire, tandis que l'orfèvre, confiant, ébauchait dans un bloc d'or rouge les dix trèfles d'une couronne.

Cependant, la Vénitienne n'entendait pas le lapidaire prononcer les paroles décisives, et elle s'impatientait, ne sentant point venir le moment de renouveler ses propositions et devinant que bientôt, malgré les remontrances d'Hilda, elle ne pourrait s'empêcher de le faire.

C'est qu'Angela Calderini, accueillie dans Gênes plus favorablement qu'elle ne l'eût été dans ses songes les moins raisonnables, choyée par les plus hauts dignitaires de la République, et devenue la compagne respectée de leurs épouses, était grisée d'avoir conquis une souveraineté qu'elle n'avait pas ambitionnée si complète ni surtout si vertueuse, et elle avait résolu, dans sa vanité, de s'emparer d'un pouvoir encore plus absolu en usant de cette arme dont, à sa stupéfaction, elle n'avait pas eu besoin jusqu'alors : l'amour.

Elle décida de régner sur celui qui régnait.

Toute autre qu'Angela Calderini se fût attaquée au doge, prince apparent des Génois ; mais la perspicace Vénitienne sut découvrir derrière ce mannequin le maître véritable, l'homme nommé le libérateur et le père de la patrie, l'organisateur de la République, l'amiral fameux, monarque de la mer, que deux rois se disputaient, le conseiller de Charles Quint : Andrea Doria.

Certes, la tâche de séduire un tel vainqueur semblait impossible, et en réalité elle l'était. Andrea Doria professait l'austérité la plus rigide. Sa vieillesse robuste et souple se redressait au milieu de campagnes incessantes et de travaux diplomatiques sans trêve ; dans le fracas des abordages et des ouragans, il combinait des traités ; sa vie ne suffisait point à son labeur, et quand il s'accordait un bref repos, c'était pour s'entourer de sculpteurs et de peintres qui ornaient son palais de Fassuolo, c'était pour retrouver la compagnie de sa femme Peretta, et c'était surtout pour repartir plus dispos vers les batailles et les tempêtes.

Il fallait vraiment l'audace de l'ivresse pour tenter d'imposer sa suprématie à ce cœur sans pitié de soldat, à cette âme plus altière que nulle autre, à cet esprit de diplomate rusé que rien n'avait jamais dominé. Angela, cependant, le souhaitait. Elle avait combiné d'attirer l'attention de Doria par une action étonnante, ensuite de provoquer à l'aide de ses charmes un caprice de l'amiral, puis de fixer cette fantaisie, d'essence passagère, en lui révélant les dons d'intrigue et d'espionnage dont elle se savait étrangement douée, et qui, espérait-elle, en ferait l'alliée indispensable du maître intrigant, un double de lui-même qui demeurerait à terre pendant les longues expéditions navales.

Elle n'avait pas trouvé ce plan tout de suite, mais s'y était arrêtée après de mûres réflexions et des colloques animés avec Pietro Pisco ; et quiconque eût assisté à leurs entretiens en eût appris long sur le passé pourtant si court des deux complices.

C'est ainsi, pour remplir la première partie de leurs projets, qu'ils avaient conçu d'éblouir Doria par une magnificence que lui-même, peut-être le plus riche seigneur de l'Occident, n'aurait pu se permettre, et c'est ainsi que les aventuriers, ayant appris l'existence des rubis fantastiques, s'étaient promis, avant même de les avoir vus, de s'en emparer.

La fête de l'Union, où Gênes célébrait pieusement l'anniversaire de son indépendance, avait lieu le 12 septembre. Cette année-là, Doria, séjournant plusieurs mois dans la Ville, annonça qu'il ouvrirait son palais à la seigneurie, à la noblesse et à la haute bourgeoisie pour la grande réjouissance nationale.

Le hasard favorisait donc Angela, et c'était bien débuter que paraître pour la première fois devant Andrea Doria au sein d'une superbe assemblée, belle parmi les belles, visiblement admirée de tous, et le front ceint des fameux rubis.

Malheureusement, le mois d'août s'achevait, et les accessoires nécessaires à la comédie restaient impitoyablement enfermés derrière la lourde porte d'Hermann Lebenstein.

C'est pourquoi Angela Calderini s'impatientait.

Malgré sa fièvre, elle s'efforçait de regagner les bonnes grâces du lapidaire, et celui-ci, peu à peu reconquis par tant de jeune grâce, oubliait de nouveau ses soupçons en la présence de plus en plus fréquente de cette enfant rieuse. Mais on ne parlait pas des rubis.

Le 1er septembre, impuissante à se maîtriser, poussée par une force invincible, Angela entendit sa propre bouche dire, au mépris de sa volonté :

– Hermann, voulez-vous me vendre vos rubis ?

– Non. Il m'en coûte de vous refuser, ainsi qu'à ma fille dont vous avez fait votre alliée répondit le vieillard. Mais, ajouta-t-il plus gravement, mes pierres ne peuvent appartenir qu'à moi. N'y songez plus, je vous en prie.

Angela y songea plus que jamais. Il lui fallait les rubis. Elle continua ses visites, gaiement insouciante, se montra fort affectueuse envers Hermann, endormit sa méfiance, et le 12 septembre au matin, lui dit :

– C'est ce soir qu'Andrea Doria donne sa fête si attendue ; j'y veux surpasser en magnificence les Génoises les plus prétentieuses. Prêtez-moi vos dix rubis, Hermann, je vous les rendrai demain.

– Cela me comble de joie, s'écria le lapidaire, car rien ne m'était plus pénible que de vous désobliger… Voici les pierres, vous êtes digne de les porter, et je vous les confierai volontiers toutes les fois que l'aventure vous tentera. L'essentiel est que ces rubis demeurent ma propriété.

« Je regrette de ne pouvoir aller vous admirer chez Doria, mais ma vieillesse s'y refuse, et mes enfants me tiendront compagnie comme d'habitude.

Peu d'instants après, Angela triomphante étalait devant le comte Pisco les dix joyaux :

– Vite, Pietro, lui dit-elle, porte ceci à l'orfèvre Spirocelli ; le diadème est terminé, il ne reste plus qu'à sertir les rubis au milieu des fleurons. Tu attendras que la besogne soit totalement achevée pour m'apporter toi-même le bijou. Pendant que Spirocelli travaillera, tu lui raconteras que j'ai acheté les pierres un million d'écus et qu'elles sont payées. Puis, comme il serait dommage de laisser échapper cette fortune que nous tenons, ce soir, écoute bien, Pietro, ce soir, au moment où le peuple de Gênes tout entier entourera le palais de Doria pour admirer les arrivants et écouter les premiers bruits de la fête, à huit heures, quand l'exact Hermann Lebenstein, dédaigneux de ce spectacle, se rendra près de sa fille par les ruelles désertes, tu le tueras, et tu déroberas sa montre d'argent pour simuler un guet-apens de voleurs. Ainsi le vieux lapidaire n'aura pas eu le temps d'annoncer aux Spirocelli le prêt des rubis ; ils croiront que je les ai honnêtement acquis, et ne pourront pas, en ouvrant les coffres d'Hermann, pleins de monnaies innombrables, reconnaître que le prix des pierres ne s'y trouve pas.

– Bien, dit simplement Pisco sans que son visage de petite fille vicieuse eût marqué de l'émotion ou de la surprise ; puis il tira un petit poignard, en éprouva la pointe à son ongle rose et ajouta :

– Il s'agit de ne pas manquer le bonhomme. Qu'il dise un mot à qui que ce soit avant de mourir, et nous sommes perdus. Donc, asséner le premier coup par derrière, afin de l'étourdir et le jeter à bas ; ensuite, soigneusement, avec certitude, le second, en plein cœur.

Et Pietro Pisco partit, tandis que la Calderini, sûre de l'avenir, pour se mieux préparer à son rôle ambitieux, ouvrait un traité de navigation.

VII

Vers la fin de la journée, selon les prévisions d'Angela Calderini, les rues tortueuses et les quais de Gênes s'animèrent d'une joyeuse foule qui se dirigeait vers le même point de la Ville.

L'occident flamboyait, tourmenté comme une vision d'Apocalypse. Une infinité de nuages obliques zébraient le ciel rose de leurs raies de pourpre et lui donnaient l'aspect d'une tranche mince, transparente et gigantesque d'onyx.

La brise de mer soufflait, chaude et grandissante, et sur les vagues, vermeilles de soleil couchant, les barques prudentes des pêcheurs rentraient au port en dansant.

La mer véhémente grondait sa fureur incompréhensible, et les maisons vides regardaient de toutes leurs fenêtres l'immensité rageuse.

Par exception, l'état des flots n'intéressait pas les Génois, fort occupés à se considérer les uns les autres et à s'émerveiller sur le prochain, ce qui est en somme le grand attrait des réjouissances publiques. Le peuple admirait la noblesse et la bourgeoisie, qui s'admiraient entre elles.

Conviés à la fête d'Andrea Doria, seigneurs et notables s'y rendaient, à pied, en litière, à cheval, et même, quelques-uns, au fond de carrosses énormes qui cheminaient lentement avec un bruit de tonnerre, cahotés sur les pavés hostiles. Mais la plupart marchaient ; les uns seuls, aidant aux ruisseaux de boue torrentueuse leurs épouses, retroussées, tandis que d'autres, au contraire, processionnaient au milieu d'une véritable armée de serviteurs, de soldats et d'amis portant, en prévision du retour et des embûches nocturnes, torches et hallebardes.

La populace extasiée devant ce déploiement de hardes luxueuses, suivait, dépassait, précédait les plus brillantes escortes, s'arrêtait pour les revoir défiler, et cette foule, plus serrée à chaque carrefour, faisant des haltes plus répétées à mesure qu'elle approchait du but, laissait derrière elle une ville morte, hantée seulement des malades ou des casaniers, un grand perron désert, une tour de Babel après l'abandon.

Les retardataires pourtant ne manquaient point, car sous le poids des atours inaccoutumés, bien des jeunes filles dont le logis avoisinait la rive du Bisagno, trouvaient longue la traversée de la Ville entière, le palais Doria s'élevant non loin du phare, hors des remparts.

Seule, la porte San Tomaso y donnait accès directement, et son pont-levis, descendu sur les fossés de fortification, reliait l'entrée de la Ville à celle du palais. Celui-ci était lui-même environné de murailles crénelées, mais un parc touffu l'entourait d'une enceinte moins sévère, et ses pelouses plongeaient doucement dans la mer. C'était une forteresse monumentale, mais sa vue n'avait rien de morose, parce qu'elle était toute neuve encore et parce que la fête bourdonnait ce soir-là dans Fassuolo et l'illuminait déjà comme un autel de cathédrale le jour de Pâques.

Autour de la porte San Tomaso, à l'intérieur de la Ville, l'affluence augmentait. Les rues convergentes venaient déverser leur foule à cette issue, et les invités de l'amiral ne franchissaient la voûte qu'avec peine et vociférations, à la grande joie des arbalétriers de garde.

Le pont, heureusement, restait libre, et les gens du palais bordaient le chemin de deux haies chamarrées. Des trompettes à l'étendard de soie brodée aux armes de Doria sonnaient sur une tour leur fanfare aiguë. Sous la herse, des majordomes saluaient les nouveaux venus, et, par le vestibule aux quarante-quatre colonnes, à travers l'enfilade des chambres rutilantes, les conduisaient à la grande salle des galas.

On y montait par deux escaliers habilement ornés de figures grotesques et fantaisistes qui contrastaient le plus heureusement avec la décoration si pure de la galerie d'apparat. Le plafond de celle-ci était un ciel d'été, des scènes antiques en animaient le cintre ; aux frontons des portes, se groupaient des nudités admirablement chastes ; douze guerriers géants, portraits d'ancêtres, étaient peints aux murs ; et, par les hautes fenêtres ouvertes sur les terrasses, on découvrait, entre les pentes de Gênes et le phare maintenant allumé, l'étendue bruissante de la mer couvrant le soleil abîmé.

Autour du vaste salon, assis aux places désignées, les hôtes du père de la patrie, déjà nombreux, s'entretenaient de frivolités.

Un côté de la chambre restait vide. On y voyait, sur des degrés, des trônes pour les grands dignitaires de la seigneurie, un pour le doge ayant sous lui trois sièges pour les censeurs, huit à sa droite pour les conseillers, et huit à sa gauche pour les procurateurs de la commune ; plus bas, cent tabourets à l'usage du Sénat. Quant au Grand Conseil, ses quatre cents membres étaient disséminés parmi les invités.

Les grands dignitaires devaient arriver les derniers, afin que l'assemblée fût complète pour les accueillir, et Doria, jaloux de ses honneurs, s'était réservé le droit d'entrer solennellement après le doge lui-même.

Les majordomes continuaient d'introduire les invités. Couple par couple, les arrivants se succédaient, la main des femmes au poing fermé des cavaliers, au poing levé comme pour lancer le gerfaut, puis, après une révérence, chacun gagnait sa banquette ou son fauteuil ; et c'était, devant les trônes solitaires, au long des trois murailles, une ligne épaisse de gentilshommes superbement harnachés, et, devant eux, les femmes, qui faisaient comme un rivage chatoyant au lac du parquet marqueté. Les jeunes filles étaient assises au premier rang. Elles jasaient avec ardeur, rieuses et agitées, secouant à leurs joues les papillotes de leurs cheveux. Quelques-unes, pour imiter Angela Calderini, la favorite des louanges, dont la place encore inoccupée causait déjà bien des bonheurs, avaient échafaudé sur leur front deux frisures en pointe, comme des cornes, à la mode de Venise, et toutes s'étaient attifées des étoffes les plus rares, le grand luxe résidant plutôt dans la richesse des robes que dans leur forme. Les taches de graisse ne diminuaient pas, d'ailleurs, la beauté d'un brocart, et l'on en voyait plus que de raison aux satins des corsages tendus sur les corsets de fer, et parmi les larges plis des jupes évasées.

Toutes ces jolies créatures, lourdement chargées des bijoux familiaux à l'occasion de cette cérémonie nationale, souffraient de l'immobilité prolongée que le décorum leur imposait, et elles tournaient des regards d'impatience vers un balcon jailli du mur, en face des trônes. Il y avait sur cette tribune des joueurs de viole, de hautbois et de flûte qui, après les discours patriotiques, devaient rythmer le faste d'un bal officiel. Mais les musiciens, en dépit des œillades, restaient silencieux, et les jeunes filles s'agitaient désespérément.

Dans la hâte d'arriver à point nommé, on avait devancé le moment indiqué, et maintenant il fallait bien attendre la seigneurie dans une déférente inaction.

Les arrivées s'espacèrent et prirent fin.

Angela Calderini ne se montrait pas.

Les hommes cessèrent bientôt de converser, car les propos volages s'épuisent vite, et tous ces ennemis, réconciliés d'hier, n'abordaient point de sujet sérieux sans se trouver en désaccord et conclure à coups d'épée. Ils se turent donc et se mirent à considérer les grandes fresques frissonnant à la lumière des flambeaux, les croisées à présent ténébreuses ; et ceux du centre eurent la bonne fortune de pouvoir examiner de près une clepsydre fort bien combinée où un Amour d'ivoire marquait de sa baguette les heures gravées sur une tourelle argentée : il indiquait la demie de sept heures.

La seigneurie ne devait entrer que plus tard et le silence gagna les dames, mal à l'aise en leurs ajustements rigides. Cette gêne immobilisait les vieilles dans une crampe résignée, mais les jeunes luttaient contre l'étreinte du costume par mille petits mouvements de tout le corps, et le lac miroitant du parquet reflétait dans son grand carré ce rivage ondoyant.

Au sein du calme croissant, la mer houleuse se fit entendre, et comme les derniers rires s'étouffaient, on distingua son bruit souverain battant la plage des jardins. Alors, tout doucement, les damas et les velours gonflés des robes se mirent à osciller, d'un large balancement, au branle des vagues ; l'activité des petites Génoises avait adopté leur mesure. D'abord cela fut inconscient, puis elles s'en aperçurent et, d'un commun accord, les nobles demoiselles, avec des mines espiègles, se levant sur un pas de danse, glissèrent un ballet grave et lent comme la marche des flots.

Elles s'étaient disposées sur plusieurs rangées qui se suivaient à l'allure de la pavane, et, à chaque grondement de la lame et du ressac, la première ligne plongeait dans une double révérence, puis, en reculant, traversait les autres et allait se placer derrière elles ; la seconde, restée en tête, l'imitait à la suivante lame, et toutes ces vierges, imitant les vagues, s'avançaient et rétrogradaient avec tant de gestes jolis et de fières attitudes, que c'était miracle de les voir évoluer, si frêles et souriantes, à la cadence de la mer et sur la musique de l'ouragan.

Un piétinement sourd de chevaux sur le bois du pont-levis, accompagné de l'appel strident des trompettes, coupa court à ce divertissement impromptu ; puis, devant la compagnie debout et muette, la seigneurie fit son entrée et couvrit de soies importantes et d'hermines hautaines les trônes de l'estrade. Les magistrats, pourtant, ne s'assirent pas ; le doge lui-même, au sommet de l'apothéose, se tenait tout droit, le bonnet ducal à la main, et soudain, toutes ces têtes arrogantes s'inclinèrent très bas : l'amiral venait vers eux.

Comme s'il inspectait la chiourme de sa galère-capitane, il promena sur l'assemblée un regard tranquille de maître, la toque restée à son front têtu frangé de cheveux blancs ; il fit un signe de protection, puis gagna majestueusement sa modeste place près des censeurs suprêmes dont il avait daigné accepter la charge, érigée pour lui seul en fonction à vie.

Et tous les yeux contemplaient ce dompteur d'orages et de Turcs, dont le nom avait fait trembler l'Espagne, puis la France, et de qui la poitrine de gladiateur portait cyniquement, comme preuves de trahison, les deux ordres des royaumes ennemis tour à tour servis selon le plus offrant : la Toison d'or et le collier de Saint-Michel.

Le doge tira de son manteau fourré un parchemin, et toussa. Mais ce ne fut pas lui qu'on regarda, comme il eût été naturel. Ce fut une femme, qui, prouvant une audace inimaginable, se permettait d'arriver après le doge, après Doria.

Elle était belle plus qu'il n'est permis, et pâle dans sa robe rouge d'une pâleur d'événement. Un diadème d'or, chef-d'œuvre d'un ciseleur divin, couronnait sa chevelure aussi dorée que lui, et les dix fleurons en flamboyaient comme d'ardentes braises.

Elle s'avançait lentement, sous ce nimbe de feu, et, parvenue au milieu de l'espace vide, elle s'arrêta et se tourna vers l'amiral.

Et nul ne parlait, dans la stupéfaction générale que cette femme causait par la bizarrerie de son être, la magnificence de sa parure et la témérité de ses actions.

Tous la reconnaissaient pourtant, et chacun savait la provenance des rubis, mais, de voir celle-ci embellie de ceux-là dans une circonstance si extraordinaire, les Génois, déconcertés, regardaient sans comprendre, admiratifs, et même un peu angoissés.

Un homme, entre autres, s'étonnait : Benvenuto Cellini. Le plus fatidique des hasards l'avait amené là, et tout ceci lui rappelait cette visite légendaire où il s'était entendu comparer si étrangement à des cailloux.

Doria, en face de la Calderini, crispa les rides de son front.

La cloche de San Lorenzo tinta son lointain couvre-feu, et Angela, s'étant retournée pour gagner sa place parmi les nobles dames, vit que l'Amour d'ivoire de la clepsydre marquait huit heures. Malgré l'émoi de sa propre situation, la vision de Pisco poignardant le lapidaire traversa son âme fébrile ; et, comme elle s'efforçait de reconquérir un peu d'empire sur elle-même, tout à coup, il lui sembla qu'une force brutale soufflait des flambeaux dans la salle, et elle vit tout ce monde qui la contemplait reculer avec des faces épouvantées...

Quelqu'un lui désigna sa couronne. Elle l'arracha violemment.

À la place des tisons brillaient encore dix pierres, mais ternes, au reflet sombre ; puis, brusquement, l'éclat des joyaux décrût, comme soigneusement effacé, avec une certitude lamentable... et ils s'éteignirent tout à fait. L'un d'eux se détacha des griffes d'or et tomba sur le parquet, comme une pauvre petite chose légère, noirâtre et fripée. Un seigneur le ramassa, mais aussitôt il le rejeta avec horreur.

Les rubis n'étaient plus que des caillots de sang.

LA FÊLURE

Puisque notre ami, le romancier Salvien Farges, vient de mourir à l'hospice des aliénés où nous l'avions mené secrètement, je ne vois pas pourquoi ces pages resteraient inédites. Ce sont les dernières d'une sorte de journal qu'il tenait fort irrégulièrement lors de sa lucidité, et l'intérêt en réside surtout dans la date : 16 octobre 1902. À cette époque précise, en effet, se manifestent les premières incohérences de Farges.

S'il eût recouvré la raison et se fût remis à écrire, jamais ces feuillets n'auraient été divulgués, de peur qu'une telle confession ne nuisît au succès de son auteur ; car si le public lisant adore les folies, c'est à condition de les croire l'œuvre d'un sage.

16 octobre 1902.

Je vais relater l'aventure d'hier au soir, d'abord à cause de son caractère surnaturel, et aussi parce que, en l'écrivant, je serai forcé d'en revoir méthodiquement les phases, ce qui m'aidera peut-être à la comprendre. Pour le moment, tous les menus faits de cette histoire sont comme les pavés d'une mosaïque disjointe et bouleversée ; il s'agit de la reconstituer.

Je tiens à me rappeler la journée tout entière, pour chercher si le matin ou l'après-midi ne recèleraient pas l'explication logique du soir, une cause acceptable de cet… événement.

Hier, après un repos bref, car j'avais travaillé fort avant dans la nuit, des coups frappés à la porte m'ont brutalement éveillé.

La concierge me présenta une quittance de loyer : cent francs à payer pour avoir habité durant trois mois cette mauvaise chambre mansardée, à la crête de la rue Bonaparte.

– C'est bien, dis-je, tantôt je vous réglerai cela… Eh ! dites-moi, criai-je à travers la porte déjà refermée sur le départ de la concierge, dites-moi, quelle heure est-il ?

Elle me répondit :

– Huit heures !

Et j'entendis son doigt sec tambouriner sa charge trimestrielle au long du couloir et le bruit des réceptions diverses que mes voisins lui faisaient.

Je ne m'étais pas trouvé depuis longtemps réveillé si matin, et j'aurais bien voulu me rendormir, mais la fâcheuse situation de mes affaires m'apparut trop vivement pour me permettre de me replonger dans l'oubli du sommeil.

Comment se faisait-il que mon oncle et conseil judiciaire ne m'eût pas apporté les deux cents francs de ma pension mensuelle ? C'était la veille que cette somme aurait dû m'être remise. Le plus grand besoin s'en faisait sentir : pour acquitter le terme, et puis… pour me nourrir.

Les derniers dix louis m'étaient échus dans une période de cette paresse intermittente qui prouve l'artiste et lui est nécessaire car il s'y repose du labeur cérébral et couve à son insu des pensées nouvelles.

Mais le sort a voulu que nous fussions plusieurs à subir en même temps la crise sacrée, circonstance qui la prolongea. Quelques jours de fête en compagnie de Filliot, de Blondard et d'Amolin sont peut-être la raison d'une statue, d'un tableau ou d'un opéra remarquables entre ceux de l'avenir, mais ils entamèrent grièvement ma fortune et je dus sans retard me remettre à la besogne.

Je tenais un sujet original et ne doutais pas d'en faire une nouvelle que *La Revue mauve* accepterait d'emblée et paierait comptant. Hélas ! L'idée de ce conte n'était que trop intéressante. Je me mis à disséquer les caractères, à sonder les problèmes soulevés par les rencontres de mes personnages ; d'autres actions découlèrent tout naturellement de l'affabulation primitive, des tirades grondaient dans ma tête et des paysages s'y développaient ; enfin, la semaine dernière, comme l'ensemble d'un vaste roman s'ébauchait sur mes papiers épars, je m'aperçus que cinq francs me restaient pour huit jours d'appétit.

J'aurais pu bâcler un article de critique et foudroyer de mon tonnerre quelque vieille célébrité dûment reconnue, démolir un piédestal séculaire, comme il est de mode... Mais une frénésie me possédait et je continuai à ordonner le plan complexe de mon œuvre improductive.

Avant-hier, j'ai changé mes derniers sous contre un disque de saucisson : mon déjeuner.

Le reste de la journée, j'ai pensé avec furie, combinant des scènes, divisant les chapitres et confrontant les faits, de peur des contradictions. Deux heures du matin sonnaient à Saint-Germain-des-Prés quand je me suis mis au lit, heureux d'avoir achevé mon plan, et sans plus penser au terme du lendemain et à l'inexactitude de l'oncle qu'au néant de mon dîner.

Le souvenir d'un aussi beau détachement m'excita à le cultiver de nouveau et, tandis que la concierge descendait l'escalier avec un tintement de monnaies, j'allai prendre sur ma table les feuilles où l'esquisse de mon œuvre s'étalait en griffonnages, puis, m'étant recouché, j'abordai ma tâche.

Il ne me restait plus qu'à écrire le développement du schéma, et, avant de l'entreprendre, je passai mes notes en revue pour m'assurer que la charpente était solide, bien équilibrée, capable de supporter sans fléchir toute une architecture.

Je m'aperçus alors qu'un de mes types capitaux n'était pas mûr. Son rôle, je l'avais tracé, mais le caractère et l'aspect physique m'échappaient. Impossible de le décrire ; or, son portrait se place nécessairement aux premières lignes du roman. J'eus beau me torturer l'imagination, employer d'abord un système rationnel puis donner libre cours à la fantaisie, le bonhomme ne voulait pas éclore et je n'obtenais que des traits banals ou faux.

L'énervement de cette recherche stérile dura – j'en suis certain – deux bonnes heures : je trépidais de colère contre moi-même, la sueur m'en venait sur tout le corps ; mon exaspération devint telle que bientôt, malgré tous mes efforts, mon esprit refusa de demeurer tendu plus longtemps vers le même but et je ne pus continuer mes tentatives de création.

Je suis passablement sujet à ces accès de fièvre inféconde. Sitôt qu'ils se déclarent, je devrais couper court au vain essai de production, m'appliquer à des ouvrages faciles, des copies par exemple ; mais un orgueil hors de saison m'interdit d'avouer mon impuissance et je persévère à m'épuiser pour rien, à faire tourner à vide les rouages cérébraux jusqu'à l'arrêt fatal de la machine sans force.

D'habitude, je me délasse longuement après un surmenage de la sorte : une promenade en flâneur réassouplit l'intelligence courbaturée, mais hier des crampes à l'épigastre me firent comprendre la nécessité de m'absorber dans n'importe quelle occupation : la faim et l'oisiveté font mauvais ménage.

Nulle inquiétude, d'ailleurs, ne m'importunait, mon oncle ne pouvait pas ne pas venir le jour même.

J'essuyai donc mon visage, réparai le désordre de mon lit, et j'écrivis avec assez de facilité le dénouement de l'ouvrage. C'est une partie qui m'a tout particulièrement séduit, elle était déjà toute terminée dans ma pensée et n'exigeait pas une connaissance totale du personnage tant cherché. Aussi bien, dans mes contes les mieux venus, la fin a-t-elle été composée avant le reste.

Voici ce morceau, puisque je me suis promis de fouiller la journée d'hier dans tous ses détails, et voici d'abord le thème du roman dont l'obsession l'a remplie presque tout entière :

Un banquier américain, un de ces hommes puissants qui utilisent leur pouvoir à multiplier autour d'eux les savantes amitiés et les dévouements influents, nourrit une haine implacable contre un jeune peintre au seuil de la gloire.

Motif : passionnel.

Pour assouvir sa vengeance, le millionnaire a préparé dans l'ombre toutes les calamités, déceptions et injustices que les administrations, le monde et les jurys peuvent infliger à qui tente leurs suffrages. La mine est prête à faire explosion.

La victime subira le supplice raffiné d'échecs perpétuels, et même, il n'est pas jusqu'à son existence matérielle qui ne doive rencontrer chaque jour les pires obstacles. Le suicide du patient s'impose à bref délai. C'est donc une peine idéalement féroce et sans danger pour le bourreau.

Mais les deux ennemis se rencontrent par hasard ; la jalousie s'empare violemment de l'homme riche, il oublie ses préparatifs monstrueux et, ne pouvant maîtriser la brute qui gronde en lui, poursuit son adversaire et l'assomme.

La physionomie insaisissable était celle de l'assassin.

Je copie maintenant la scène finale :

« Monsieur Burton ne parlait plus. Il aspirait son cocktail d'une paille gourmande et regardait distraitement à travers les glaces du bar anglais l'inlassable croisement de la foule, dans l'ombre, sur le boulevard. Ses deux compagnons suivaient machinalement son regard et songeaient aux moyens d'exécuter ses ordres.

Bendler, le paysagiste, devait à Burton sa décoration pour faits d'armes en 1870. Il n'était pas difficile d'empêcher Jacques Bernard d'obtenir la médaille au Salon prochain, et Bendler se réjouissait d'en être quitte à si bon compte et de se débarrasser par quelques démarches toutes simples d'une reconnaissance qui lui pesait.

Pour Jephté, la tâche se trouvait moins compliquée encore. La consigne était de ne pas prononcer le nom de Bernard dans sa critique. Il cherchait seulement un prétexte à ce silence, désireux de garder sa place aussi bien au cénacle des censeurs impartiaux qu'à la table somptueuse de Burton.

À l'idée que Jacques allait subir enfin son châtiment, Burton s'esclaffait. Il semblait complètement heureux depuis qu'il concertait sa revanche, et sa fureur paraissait dissipée devant l'expiation prochaine du criminel, comme il appelait son ennemi.

Tout à coup, il fit un mouvement brusque et Bendler avec Jephté étouffèrent une exclamation. Ils avaient reconnu parmi les passants Jacques Bernard.

Le banquier grogna une insulte ordurière. Un instant, on vit ses mains crispées sur sa canne, puis il se leva, et, sans un mot d'adieu, il se précipita dehors.

Jacques revenait de Saint-Mandé. Une journée passée près de sa fiancée lui emplissait l'âme d'un charme tout nouveau, et il admirait avec quelle aisance l'ancien modèle portait maintenant ses toilettes de jeune fille bourgeoise et comme Madeleine entourait de soins délicats sa mère retrouvée. Il éprouva qu'il serait bon d'être un peu seul avec ces chers souvenirs et quitta le boulevard, son brouhaha et ses lumières pour les rues moins étourdissantes qui montent aux Batignolles.

Il remarqua bientôt qu'on le suivait et s'arrêta devant l'étalage d'un épicier pour regarder l'homme sans en avoir l'air. Burton ! C'était Burton ! Que lui voulait-il donc ? N'avait-il pas renoncé ostensiblement à Madeleine ?

Et Jacques sentit un grand frisson le parcourir. L'anxiété des pressentiments le fit trembler. Un but sinistre approchait, inévitable. Il reprit sa marche à pas saccadés, l'esprit troublé de raisonnements inconnus : Burton allait le tuer… Et n'était-ce pas son droit humain de supprimer le ravisseur de ses joies ?

Jacques se mit à marcher plus vite. Mais Burton ne se laissa pas distancer.

Que faire ?

Implorer le secours d'un gardien de la paix ?

Quel policier croirait à un crime non encore accompli ?

Pour quel motif requérir l'arrestation du banquier ?

L'attendre et se battre ?

Jacques *savait* qu'il ne vaincrait pas.

Comme ils étaient tout près de l'atelier, il se mit à fuir. La poursuite éperdue traversa les groupes, s'engouffra dans le vestibule et galopa dans l'escalier.

Jacques perdit toute avance en ouvrant sa porte.

La grande verrière de l'atelier éclaira d'un bleu lunaire les deux champions face à face.

Nu-tête, son chapeau étant tombé au vent de la course, le peintre vit à Burton le visage d'un fou. Celui-ci, dans sa rage, avait perdu tout souvenir de ses machinations diaboliques. Il ne restait du potentat mondain qu'un mâle dupé, une brute exaspérée.

Il leva sa lourde canne et, ayant visé soigneusement Jacques Bernard médusé, avec un han de bûcheron, il lui brisa le crâne.

Bendler et Jephté, à la recherche de leur Mécène le trouvèrent sanglotant au clair de lune devant le portrait de Madeleine, la fameuse toile dite *La Femme aux jacinthes*, qui, au Salon dernier, cravatée d'un crêpe, valut la médaille d'or à son auteur défunt. »

Mon travail relu ne m'a point satisfait. Je le jugeai trop court en proportion du tout, j'y voyais des lacunes, c'était maigre et superficiel. D'ailleurs, l'inanition clairsemait mes idées, les tableaux évoqués m'apparaissaient linéaires et incolores, sans modelé ni profondeur. Et si je ne m'étais pas surveillé, nul doute que je n'eusse décrit tous les gâteaux du bar, tous les comestibles de l'épicerie ; encore le genre de ce dernier magasin a-t-il échappé à mon attention.

Un grand découragement, presque du désespoir, m'accabla, et je me mis à rêver tristement…

Jean, le domestique de mon oncle, vint troubler ma méditation. Son maître souffrant l'avait chargé de me remettre cinq napoléons (car son maître professe le bonapartisme) et la quittance du loyer que Jean aurait préalablement soldé avant de monter.

Je le priai de remercier mon oncle de la confiance qu'il voulait bien me témoigner, puis, l'ayant congédié, je me levai et m'habillai.

Avant de sortir, je posai sur ma table mes notes et le manuscrit insuffisant en tête duquel je traçai au crayon bleu : À modifier.

Au dehors, il faisait à peu près nuit ; c'était un tiède soir d'automne. Je me sentis, en remontant la rue Bonaparte vers le boulevard Saint-Michel, les jambes molles et la tête vide.

Mon dessein était d'aller dîner tout de suite au prochain Duval, mais comme je passais devant le café du Faune, quelqu'un, à la terrasse, me héla ; Blondard, Amolin et Filliot, habitués impitoyables de l'établissement comme du reste le nommé Farges que j'ai la douleur de constituer, me firent asseoir près d'eux.

L'absinthe opalisait leurs verres.

– Garçon ! Un Pernod pour monsieur !

J'ajoutai :

– Et un sandwich !

Pendant que je dévorais ce maigre repas, mes camarades continuaient leur entretien. C'était une suite de potins. Amolin répondait aux on-dit de l'École des beaux-arts par des cancans issus du Conservatoire.

Lorsque j'eus englouti le petit pain fourré, nous parlâmes de tout un peu. Les seuls propos dont je me souvienne sont les derniers. Il y avait déjà quelque temps que nous étions là et nous savourions le quatrième verre d'absinthe, ma tournée. La conversation avait pris un tour plus sentencieux ; on discutait plus chaudement des opinions plus résolues, et chacun critiquait l'œuvre des amis avec une certitude d'autant plus manifeste que l'art du juge s'éloignait davantage de l'art du jugé.

– Vous, mon cher, me dit Blondard, je subis toujours le charme de vos machines quand je réussis à vous oublier complètement ; et ceux qui ne vous connaissent pas – vous et votre milieu – doivent vous trouver épatant.

– Tant mieux, répondis-je, car je fréquente peu le monde, mais pourquoi cette réticence à votre approbation ?

– Parce que l'observateur domine en vous. On peut toujours affirmer à coup sûr de l'un de vos personnages – quand il n'est pas vous-même – qu'il existe quelque part ou qu'il est formé de deux ou trois citoyens de votre connaissance. Vous ne copiez pas toujours de la tête aux pieds monsieur Sinophe, mister Yellow ou mein Herr Roth, mais on les retrouve dans d'aimables Arlequins plus ou moins verts, jaunes ou rouges suivant la suprématie de l'un des trois éléments.

– Fichtre, riposta Filliot, ce peintre a trempé sa langue dans un arc-en-ciel polyglotte !

Et Blondard continua :

– Voyons, Farges, croyez-vous qu'un miroir ne se dresse pas devant mes yeux à la lecture des *Théories de Raphaël Gouache* ?

– Mais, répondis-je surpris, c'est que vous dites vrai, mon cher Blondard ; je vous jure n'y avoir mis aucune malice, je m'en rends compte aujourd'hui seulement.

– Parbleu ! Je vous pardonne de grand cœur. C'est de la suggestion, le phénomène est classé. Du reste, je suis en compagnie dans le corps de Gouache, car vous y avez fait entrer un peu de Filliot, et c'est ce qui me désole...

– Comment ! Comment ? hurla le sculpteur.

– Calme-toi et laisse-moi finir : ce qui me désole pour Farges, parce que les lettres, c'est comme la peinture...

Amolin railla :

– Gare aux Théories, Gouache !

– Eh, je veux justement parler d'un système que Farges a stupidement parodié dans son ignoble bouquin, le scélérat !

« Écoutez : je proscris toute prédominance de teinte dans une toile de jour...

– Oui, interrompit Amolin, c'est pourquoi le Raphaël Gouache des Théories possède un pivot sur lequel il fait tourner ses tableaux. Il ne les signe que si la couleur générale de la toile tourbillonnant est le blanc ; car cela prouve que les sept couleurs s'y rencontrent dans les proportions du prisme et que l'éclairage est conforme à la nature.

– Amolin, s'écria Blondard, vous êtes le plus bouché des contrapontistes ! Voilà ma véritable méthode...

– Assez, mon bon ami, lui dis-je, vous avez peut-être raison ; je le vois bien, j'ai pris autour de moi pas mal de croquis pour mes ensembles, ceux-là n'en sont que plus vrais. Mais, je vous l'assure, tous mes bonshommes n'ont pas la même origine. Ce matin, par exemple, j'ai tenté d'en construire un, et l'imagination seule y travaillait, sans l'aide de la mémoire.

– Vous l'avez cru.

– Non, c'est une certitude.

– Alors, vous avez échoué.

Confondu par cette perspicacité, je ne voulus pas avouer. Je repartis :

– Pas le moins du monde ; la créature est achevée et elle est bien mon ouvrage.

Mentir m'est odieux. Le souvenir de mon impuissance augmenta ma gêne et, brusquement, je détournai la conversation.

– À la santé des propriétaires, dis-je, c'est jour de terme.

Et nous devisâmes, de logements, de concierges et de déménagements. Je fus amené de la sorte à conter mon évasion de l'hôtel de la Jeunesse, caravansérail qui m'abritait avant cette maison de la rue Bonaparte. Les pensionnaires en étaient assez contents, ils y prenaient gîte et repas pour une somme très minime dont je ne pus me rappeler le montant, en dépit de tous mes efforts. Le propriétaire était un athlète roux qui ne plaisantait pas sur les retards et, à la fin d'un mois, j'avais préféré la fuite à l'expulsion et au contact des huissiers, car M. Duchâtel n'hésitait pas à faire usage de ces pitoyables fonctionnaires. Il gardait même de ce fait la marque de l'inimitié de ses locataires, l'un d'eux lui avait démoli la mâchoire d'un coup de poing, au reçu de quelque protêt, et ses lèvres en étaient restées informes et pâles.

Des aventures semblables furent relatées par mes camarades, puis les paroles devinrent banales et bientôt je n'écoutai plus. Aussi bien, une vie intense bouillonnait dans mon cerveau, mais je n'y distinguais pas bien nettement. Je crois que ma pensée s'attachait surtout à retrouver le chiffre exact de ma dette envers Duchâtel, encore n'en suis-je pas bien sûr.

Nous réglâmes la dépense. Le garçon s'empara de mon billet de cent francs, et me rendit la monnaie.

Je comptai : pourboire donné, il me restait 97,50 francs.

– Venez-vous dîner, Farges, vil blagueur ?

– Ma foi non, répondis-je à Blondard. Ma faim s'était tue, et tout à coup, par un hasard inexplicable, au moment où ces mots « vil blagueur » mêlaient à mon petit calcul le souvenir du roman, je venais d'entrevoir en moi-même l'objet de mon désir : parmi d'autres pensées confuses celle de Burton se dressait vigoureusement. Je voulais en parachever les moindres détails pendant que je la tenais.

Demeuré seul au milieu de l'arrivée et du départ perpétuels des buveurs, le menton dans la main, l'œil fixe et sans regard, je donnai l'essor à ma rêverie. Burton y prit tout de suite un relief extraordinaire, je le voyais, comme dans le dernier chapitre, sirotant sa liqueur américaine en compagnie de ses deux acolytes. Mon caprice lui prêtait une allure bestiale et la force peu commune indispensable à l'accomplissement de son crime. Une barbe sans moustache, à la yankee, sertissait de cuivre sa face rougeaude, et il triturait sa canne entre des doigts énormes.

Je composais là un être des plus repoussants.

Toutefois, et je ne sais pourquoi – peut-être à cause de personnes qui s'installèrent à grand remue-ménage en face de moi-, je changeai subitement la position et le costume de mon traître. Ce fut sans doute une bonne inspiration car l'image m'apparut dès lors bien plus vigoureuse.

En quelques minutes mon banquier se trouva totalement organisé, au physique comme au moral, seule, la bouche s'obstinait à rester quelconque, vague, à peine indiquée au fusain dans mon portrait achevé. Je ne m'acharnai point à la recherche d'une pareille vétille et, avant de prendre le chemin du restaurant, je fus un instant à regarder circuler la joyeuse cohue de sept heures. Mon esprit, enfin détendu, se reposait à ces jugements incertains et multiples qui constituent le minimum d'activité cérébrale.

Je tournai la tête de tous côtés pour examiner mes voisins, et tout à coup, mon cœur se prit à battre sur une mesure désordonnée tandis qu'un froid glacial me pénétrait :

Au premier rang de la terrasse, vers la droite, à la place exacte où ma vue s'était portée machinalement tout à l'heure durant mes réflexions, Burton, une paille dans sa bouche à peine indiquée, *me regardait réellement* de cet œil fauve que je lui avais imaginé.

Quel prodige affolant était-ce là ?

Je me l'expliquai sur-le-champ avec une perspicacité stupéfiante :

Dans la nature, les choses perçues par la vue engendrent des pensées.

Mon intelligence surmenée s'était sans doute détraquée, elle avait fonctionné à rebours, et l'idée, maintenant, avait fait naître un objet.

Le terrible, c'est que ce produit fût un être vivant, séparé des rayons visuels générateurs, un homme à cette heure indépendant de l'intelligence créatrice, insoumis à ma volonté, et une brute.

Je me maudissais d'avoir déchaîné parmi mes semblables une fiction aussi dangereuse qu'un monstre de roman, mais bientôt, je dus trembler pour ma propre sécurité, car les yeux de Burton luisaient furieusement et ne se détachaient pas des miens.

Il me sembla qu'un péril depuis des mois menaçant fondait sur moi. Je ne vis de salut que dans la retraite, et pour échapper à l'étau du regard, je quittai le café.

À la manière des bêtes traquées, je me dirigeai instinctivement vers ma demeure. Mais, je l'aurais parié, Burton me suivait.

Son acte était inévitable. Il ne pouvait vivre que de l'existence dont je l'avais doué. Ma volonté actuelle ne pouvait plus rien contre ma volonté passée. Il accomplirait ponctuellement les actes imposés par mon bon plaisir à son personnage dans la partie presque définitive du roman. La scène finale m'apparut, dans toute son horreur... l'assassin brandissant au-dessus de sa victime paralysée le pesant gourdin, et puis !...

C'en était trop. Je partis à toutes jambes vers la rue Bonaparte ; tout le sabbat dansait une ronde sous mon crâne.

Burton courait sur mes talons.

Mon chapeau s'envola... Est-ce que la fatalité s'abattait aussi sur moi ? M'étais-je donc photographié dans les traits du malheureux Jacques Bernard !... Que faire, mon Dieu ?

Soudain, la possibilité d'une issue traversa comme un éclair le chaos de mon désarroi ; je me rappelle alors avoir éclaté de rire, tant j'avais la certitude de mon salut.

J'entrai en coup de vent dans la maison. J'escaladai devant Burton mes six étages : la porte de ma chambre était restée ouverte, grand avantage sur Jacques Bernard, cette particularité me donnait le temps d'effectuer ma délivrance.

À la clarté de la lune, je saisis le crayon bleu et biffai prestement la fin de mon travail, supprimant ce qui suivait l'arrivée du peintre dans son atelier, c'est-à-dire le meurtre... puis tranquillisé, curieux de savoir comment l'être chimérique se tirerait d'affaire, je me retournai.

Burton fit irruption dans la chambre.

Je le considérais sans frayeur.

– Monsieur, balbutia-t-il d'une voix entrecoupée, haletante, monsieur, payez-moi tout de suite les 97,50 francs que vous me devez pour un mois de pension à l'hôtel de la Jeunesse...

Démonté par cette injonction peu prévue, je tirai de ma poche le reste de mes ressources.

Un instant l'or et l'argent s'allumèrent dans la paume musculeuse du fantôme, sous son regard calculateur, puis il s'en alla, placide et muet.

Jouer le rôle de Duchâtel, c'est le piteux expédient qu'il avait trouvé pour se ménager une sortie honorable.

Afin d'éviter le retour de pareille visite, j'ai, sans retard, remplacé les phrases rayées du roman. Dans la nouvelle version, Burton, ayant balbutié des paroles incohérentes, s'échappe de l'atelier sans avoir eu l'audace de perpétrer son forfait, et, ivre de désespoir, sentant sa douleur incurable, il se précipite dans la Seine. Le lendemain, à l'aube, des mariniers repêchent son cadavre.

Je vais me rendre à la morgue afin de constater le décès de mon persécuteur.

LE BOURREAU DE DIEU

À M. François Coppée

I

Le jour de Saint-Christophe, un moine, de ceux qui faisaient profession de creuser leur tombe et de distiller le suc des plantes, revint de la cueillette quotidienne en portant d'un bras une belle gerbe de fleurs aromatiques, et de l'autre un tout petit enfant malingre.

L'aventure tenait du prodige, car le couvent s'élevait à la cime de rochers presque inaccessibles, au milieu d'un pays sauvage, assurément plus propre à la naissance des herbes cordiales qu'à l'éclosion des petits enfants, si malingres qu'ils fussent.

Ainsi pensa le prieur ; et le brave homme se dit aussi :

– Certes, ce gamin-là nous est destiné car personne n'aurait pu le secourir hormis l'un de mes religieux. Le doigt de Dieu est là, puisqu'il se pose partout, et je l'y vois d'autant plus nettement que l'événement est moins compréhensible et s'éloigne donc des faits terrestres pour se rapprocher des actions divines... L'idée ne laisse pas d'en être pourtant singulière... le bon Dieu sait bien qu'il nous est interdit de prendre des pensionnaires... Après tout, il a le droit de susciter à notre règle des exceptions qui la puissent confirmer, et saint Bruno ne dérogera point s'il fait une fois par hasard le geste de saint Vincent de Paul... Et puis, l'histoire de Moïse voguant à la dérive sur le Nil n'est-elle pas plus bizarre encore que celle-ci ? En vérité, il serait beau de voir tout un monastère montrer moins de charité que la fille d'un pharaon mécréant !... Nous garderons l'enfant.

Ayant pris cette audacieuse décision, le prieur tomba de nouveau dans la perplexité.

Quel nom donner à son protégé ?

Moïse le tenta. Mais il réfléchit : pour les esprits modernes, si superficiels, Moïse sentait son rabbin d'une lieue, Moïse évoquait un profil qu'on n'a pardonné qu'aux Bourbons ; enfin Moïse veut dire sauvé des eaux, et l'étymologie s'accordait mal avec les débuts d'un petit garçon trouvé sur une montagne.

Il s'appellerait donc Christophe, comme le saint dont c'était la fête, saint du reste honorable entre tous et de qui le nom est à vénérer, car il signifie porte-Christ.

Tout heureux d'appliquer ses connaissances de l'hébreu et du grec aux difficultés de la vie pratique, le prieur rompit solennellement le silence monacal et proclama sa volonté à ses fils en Dieu. Il leur fit part des pensées diverses qui l'avaient agité et parla longtemps sur l'amour du prochain, comme un orateur débordant de foi et condamné à un mutisme perpétuel.

Sa péroraison développa une vérité trop ignorée qui frappa son auditoire d'admiration :

– Il importe peu, dit-il en substance, que les hommes aient un nom rattaché à leur naissance, comme Désiré, Théodore, Dieudonné et tant d'autres. Ils ne sont pas responsables de la façon dont ils viennent au monde, mais il faut les appeler d'un mot qui soit un étendard pour le soldat, et pour le matelot un phare. Moïse n'avait que faire de se rappeler un incident de ses premiers jours, mais Christophe saura qu'il ne respire qu'afin de porter le Christ, c'est-à-dire contribuer à la plus grande gloire de Dieu. Heureuses les créatures qui répondent à de tels vocables, car ils sont des ordres, et ceux qui les exécutent s'assiéront à la droite du Père.

« C'est la grâce que je vous souhaite. Ainsi soit-il.

C'est pourquoi Christophe grandit dévotement parmi les doux Moines blancs et bruns qui creusaient des tombeaux et composaient un élixir.

Vers l'âge de dix-neuf ans, ce fut un jeune homme sans beauté ni grâce, d'allure maladroite, empirée par la coupe ridicule de son habit : on l'avait taillé dans la bure des cloîtres, et c'était une veste à l'ampleur informe sur un pantalon trop court. Celui-ci montait inexorablement suivant la croissance de son propriétaire en sorte que l'usure blanche, œuvre pieuse des oraisons prosternées, s'étendait de plus en plus à mesure que les genoux calleux descendaient dans le pantalon.

Christophe cachait sous des cheveux longs et raides l'âme étroite qu'on prête machinalement aux sacristains. Ses yeux myopes, à travers leurs grosses besicles rondes, ne voyaient pas le monde bien clairement, et il s'en faisait une conception tout ecclésiastique, n'envisageant de la vie que les phases solennisées par les sacrements. Sa première communion lui en paraissait le point culminant, et il attendait avec sainteté l'extrême-onction – le mariage étant pour lui un objet de terreur, un devoir religieux non seulement facultatif, mais encore institué par la mansuétude céleste pour excuser un dérèglement des sens indispensable au souffle des générations.

Très croyant, et laissant aux autres le soin de perpétuer le genre humain, la pensée d'endosser le froc lui était venue naturellement : son esprit et son vêtement se ressemblaient, peu de chose leur manquait pour être ceux d'un moine, l'étoffe était déjà la bonne.

Empêché par une timidité dominatrice de déclarer sa vocation, Christophe, à dix-neuf ans, attendait que l'audace lui vînt et, tout en implorant le Seigneur afin qu'il daignât hâter cette arrivée, il vaquait à diverses besognes domestiques et se mêlait aux moines occupés de leurs travaux funèbres ou industriels.

Ce fut ce qui le perdit : car s'il est édifiant de voir les futurs trépassés approfondir leur fosse, la saveur et l'arôme d'une liqueur de luxe constituent des embûches pernicieuses. Le mépris de la mort envahit donc l'âme de Christophe, mais avec le goût funeste de cette boisson, d'émeraude ou de topaze, qui exaspérait son fanatisme jusqu'à la volupté, et lui donnerait, pensait-il, la force d'avouer ses chères présomptions.

Le jour qu'il entra chez le prieur à cette fin, le postulant trébucha dès la porte et s'avança vers le vieillard en chancelant, puis il se mit à exposer sa demande, mais les syllabes s'embrouillaient sans merci, et ce bégaiement inextricable semblait sortir d'une bouteille d'élixir, tant il exhalait de parfums montagnards.

Le malheur voulut que le prieur comprît tout de même le sens du discours. Il aurait peut-être pardonné l'ivresse, pour une fois, mais il n'admit pas qu'un tel vice s'attachât à profaner les sublimes pensées. Dans le langage de Christophe, il discerna une suite de blasphèmes suggérés par la démence et, sans dire un mot, il conduisit le pauvre saint ivrogne jusqu'à la porte du couvent paternel.

Là, il lui donna une petite bourse, et, lui montrant d'un grand geste le désert superbe des forêts, des plateaux et des pics, il lui dit :

– Allez, libertin ! Allez assouvir au sein des villes corrompues vos tristes appétits. Vous êtes indigne de votre nom. C'est Noé qu'il fallait vous baptiser !

Allez, je vous chasse !… Voilà ma punition d'avoir enfreint la Règle en vous accueillant ici !

Et il laissa Christophe, dégrisé, tout seul, au pied du monastère à jamais fermé.

L'exilé regardait avec terreur l'étendue de sapins et de rochers. Bien souvent, au cours des moissons odorantes, il avait plongé son regard dans les vallées, mesuré de l'œil les montagnes lointaines. Il ne reconnaissait plus rien. Habitué à considérer ce paysage comme le décor immuable de ses sorties, comme la fresque peinte aux murs d'un promenoir, voilà qu'il était forcé de marcher parmi cette toile, de s'éloigner à travers ce tableau !… Était-ce possible ?

Poussé par un sentiment nouveau, Christophe parcourut lentement les bois et les prés voisins du cloître, et il s'aperçut qu'il les aimait tendrement. Tout surpris de ses actes, les yeux humides, il embrassa des arbres fort communs et couvrit de baisers de petites fleurs très ordinaires. Le passé, jusqu'ici, n'avait pas existé pour lui, chacun de ses jours étant comme la veille ; et quelque chose d'infiniment doux : le souvenir, naissait dans son cœur.

Il sentit l'angoisse des séparations gonfler sa gorge, se laissa tomber sur la mousse, et sanglota très longtemps, apitoyé de sa douleur et pleurant sur ses larmes.

Quand il se releva, la nuit emplissait déjà les vallons et montait vers les cimes comme une marée de ténèbres. Une à une, les étoiles perlaient.

Une cloche tinta le dîner des religieux. Christophe avait faim. Les paroles du prieur résonnèrent dans sa mémoire. Il frissonna à la pensée des villes corrompues où il devait maintenant satisfaire son appétit, mais la nécessité criait plus fort que la vertu, et Christophe, certain d'abandonner son Dieu, descendit, dans le noir, vers les hommes.

II

Dans la véhémence des adieux à la montagne, la bourse du prieur avait glissé et s'était perdue.

Christophe mendia de village en village.

Il allait, surpris que ses pareils eussent bâti leurs maisons au fond de trous, et non sur les hauteurs. Il marchait, vagabond grotesque avec ses lunettes rondes et ses nippes extraordinaires. Cet accoutrement augmentait son air faible et inoffensif, de sorte que les braves gens lui donnaient beaucoup, par compassion, et que les mauvaises, n'ayant rien à craindre de ce mendiant bonasse, lui refusaient tout. Par bonheur, la province était charitablement peuplée, et Christophe, au bout de trente lieues, put se procurer des outils à faire des sabots et du bois pour y tailler une paire de galoches.

C'est lui qui naguère confectionnait à l'usage des moines ces chaussures d'hiver, et il ne put s'empêcher d'en modifier pieusement la forme, afin que les profanes n'eussent point aux pieds des galoches aussi pointues que celles des religieux.

Ayant terminé son œuvre, il équarrit deux rognures d'érable inutilisées, les croisa, et cloua sur ce crucifix un autre morceau de bois dont mille coups de couteau avaient fait un petit avorton de bon Dieu, confus, déjeté, monstrueux ; et alors, il lui parut que le Seigneur venait le rejoindre parmi la dissolution des cités, car, depuis son bannissement, Christophe priait dans le vide, et son oraison, sans but, manquait de ferveur.

Un marchand avait donc remplacé le mendiant. Il s'installait dans un bourg, prenait les commandes, les exécutait, puis repartait vers d'autres bourgs, plus riche de quelques sous à chaque nouveau départ. D'un naturel studieux, il employait ses repos à lire, au hasard de ses logements, les livres qu'il y rencontrait. Souvent, la nécessité l'obligeait de partir avant d'avoir achevé la lecture du volume, et son savoir était un mélange bizarre de souvenirs où s'emmêlaient des bribes du *Parfait Vétérinaire*, plusieurs chapitres de l'*Histoire de la Révolution française*, et tout le fatras cabalistique d'un *Traité d'envoûtement*.

Pendant ses loisirs, il s'exerçait aussi à sculpter, dans les déchets de sabots, des christs moins grossiers que sa première œuvre, voulant retrouver le plaisir singulièrement délicat qu'il avait éprouvé lors de cette création. Il pénétrait dans toutes les chapelles du chemin et s'évertuait à copier de son mieux les modèles sans nombre qui les ornaient. Malheureusement, la méditation y perdait ce dont l'art profitait. Bientôt Christophe vendit autant de croix que de paires de sabots, mais il portait plus de christs sur le dos que dans le cœur et justifiait son beau nom tout de travers.

Un soir, après bien des voyages, le sabotier arriva dans un hameau construit au flanc d'une haute montagne. C'étaient les dernières habitations que les bûcherons rencontraient en allant travailler, et, derrière elles, montaient à perte de vue les grandes forêts de pins.

On découvrait de là un espace immense et imposant. D'abord, au pied du mont, une grande plaine s'étendait, elle était fertile et verte, un fleuve vigoureux y miroitait ; puis l'horizon se fermait par une succession de chaînes montagneuses, pareille à une suite formidable de vagues figées, les plus proches étaient noires et dentelées, et les dernières, très loin, se teignaient de bleu et offraient des contours adoucis. Christophe se les fit nommer. Il apprit qu'on désignait les sommets bleuâtres comme le monastère de sa jeunesse. C'était donc là-bas, dans un bois parfumé, que l'ange de son rêve gisait sur la mousse, parmi les fleurs, avec les ailes brisées...

Et soudain une grande fatigue l'envahit, car il sentit, en face de cette ligne brumeuse, si pâle, si éloignée, que son esprit avait marché plus vite que son corps, et qu'il ne voyait plus du tout le Seigneur.

On ne fait pas impunément tant de chemin.

Christophe, possesseur d'un pécule rondelet, résolut de se reposer et de chercher désormais la joie dans sa besogne favorite, et non plus au sein de méditations impuissantes. L'endroit, élevé, lui plaisait. Mais il fuyait toujours la compagnie de ses pareils et il décida de s'édifier une cabane plus haute que le village, à l'entrée d'un défilé, sur le sentier conduisant à la cime.

Un mois plus tard, les touristes rencontraient dans leur ascension un petit chalet tout neuf, adossé au roc, vitré du côté de la sente, où, au milieu d'un cadre de sabots et de crucifix, un homme grisonnant façonnait des morceaux de bois.

Christophe était heureux. Assis devant son établi, il voyait devant lui, par une large baie, le rideau vert sombre de la forêt surgi d'un précipice et s'élevant avec majesté jusqu'aux rochers d'une crête. Celle-ci s'abaissait vers la gauche, dévalait brusquement, et le monde apparaissait au-delà, comme le fond d'une mer desséchée.

Tous les dimanches, après la messe, le sabotier, épris de montagnes, se promenait au hasard sur la sienne, et, de temps en temps, lorsque après une pluie le ciel devenait limpide, il gravissait le cône glissant, couvert de gazon roux, qui dominait toute la contrée. Un vent violent soufflait sans trêve au faîte du mamelon. Quand des voyageurs ne s'y trouvaient pas, il y régnait un silence surnaturel, et la bise sifflait alors aux oreilles d'étranges histoires. Seules, les sauterelles rouges troublaient le calme en décrivant leurs paraboles stridentes ; et parfois, des aigles, en quête de proie, y tournoyaient.

Christophe vénérait ce lieu, et si, par-delà l'espace sillonné de rivières argentées, gemmé de lacs bleus, tourmenté de croupes et de pics, il apercevait le géant de neige brillant au soleil, comme d'un or qui serait blanc, un émoi mystique le faisait encore tressaillir, et il croyait le ciel plus près de lui. Mais, revenu dans son atelier, toute velléité de foi s'évanouissait, et, en présence de tous ces christs semblables, il ne savait pas en élire un seul pour représenter le Créateur, il n'y voyait plus que les créatures d'un pauvre sculpteur, un peu plus difficiles à réussir que des galoches, et il s'endormait sans prière.

Ce n'est pas cependant qu'il négligeât de confectionner des croix. Au contraire, les étrangers lui en achetaient comme souvenirs de leur excursion, et Christophe, reproduisant sans cesse le même sujet, était parvenu à ciseler des Jésus assez bien constitués et très reconnaissables. Il y peinait toute la journée sans ennui, mais parfois, un peu las, il demandait de nouvelles forces à une bouteille de cet élixir, origine de ses malheurs ; en vieillissant, le sabotier dut y puiser plus souvent, et il vint une époque désastreuse où l'on vit le père Christophe, manquant à tous les offices, ne plus descendre au village que pour se procurer de l'ardeur en flacon.

Un seul buvait autant que lui, un chenapan redouté, capable de tous les crimes, Marcoux le contrebandier, Marcoux, le braconnier ; et on englobait dans le même mépris l'homme que tous fuyaient et celui qui s'écartait de tous.

Ces deux êtres, qu'un vice honteux unissait pour le dédain public, se haïssaient, l'un convoitant les économies de l'autre, et Christophe ayant deviné les desseins de Marcoux.

Or, cette inimitié s'accrût soudainement.

L'Église, qui aime à endeuiller de Golgothas les pays accidentés, ordonna « qu'un simulacre du gibet sacré serait planté en pompe majeure au pinacle de la montagne ».

Au jour dit, qui se trouva le plus chaud de l'année, une multitude de fidèles serpenta le long de l'interminable calvaire.

L'évêque, les soies violettes relevées, chevauchait une mule sous un dais safran brodé d'or, et derrière lui s'échelonnaient, précédées de bannières à fanons ou de hautes enseignes enrubannées, parmi les lueurs des cierges : les communautés et les confréries. Un cantique essoufflé s'élevait des cagoules, des capuces et des cornettes. Cela faisait une longue et mince couleuvre, à tête éblouissante d'aubes et de chasubles, dont les anneaux bigarrés se déroulaient processionnellement à une allure noble et mesurée, réglée par la mule de Sa Grandeur.

Arrivée au bas du cône suprême, la foule se dispersa pour l'escalade pénible de la pente. Monseigneur aidait sa monture en l'étayant de la crosse épiscopale, et les gonfaloniers transformèrent en alpenstock la hampe de leurs étendards.

Enfin, l'étroite crête fut rapidement couverte de chrétiens ; mais la plus grande masse dut faire halte sur le versant peu confortable et glissant comme un toit de chaume.

Marcoux, familier des forêts mystérieuses, vendait au poids de l'argent l'eau d'une source connue de lui seul.

Tout à coup, au sommet, dans le nuage des encensoirs, une croix blanche et nue, démesurée, se dressa.

Christophe, à l'écart selon sa coutume, regretta l'absence d'un crucifié divin. L'appareil semblait attendre le patient et n'était point parfait... Mais, un cri de foi poussé par trois mille gosiers convaincus lui prouva qu'il se trompait, et, navré d'être toujours en désaccord avec le plus grand nombre, il regagna son logis, tandis que là-haut, les discours enthousiastes, les clameurs d'approbation bourdonnaient, et couvraient le murmure de la brise et des sauterelles éperdues.

Ce peuple descendit en désordre, ivre d'avoir assisté à la mémorable cérémonie. Tous cherchaient vainement à revoir la croix – la cime n'était visible qu'à une grande distance, et de là, le symbole diminué ne s'apercevait plus – mais son image sublime s'érigeait dans toutes les exaltations, et on se plut à retrouver dans la petite échoppe la réduction des solives rédemptrices.

Quand la montagne reprit sa tranquillité, l'éventaire de Christophe était vide de crucifix, et des pièces d'argent et d'or s'y amoncelaient. Pendant que le sabotier les comptait, Marcoux passa ; et, comme l'objet de leur inimitié s'était amplifié, ils devinrent ennemis d'autant plus acharnés.

III

Il avait suffi de la fête catholique pour divulguer la beauté du paysage et l'habileté du sculpteur improvisé. Aussi, durant l'hiver, Christophe travaillait-il sans relâche, pour vendre aux nombreux visiteurs de la belle saison une grande quantité de christs.

Il s'essayait maintenant à les faire de toutes grandeurs, et variait ainsi la monotonie de l'ouvrage, car il était incapable de modifier d'un seul détail le type adopté.

Malgré cette répétition indéfinie des mêmes formes, rien ne lui causait plus de joie que sa tâche. Il en négligeait le dormir et le souper, et bien d'autres devoirs autrement nécessaires au salut des mortels. Si grand était l'oubli de ses croyances passées que, parfois, pour un méchant coup de ciseau maladroit, Christophe blasphémait son Dieu. Si quelque esprit de perdition l'en avait défié, il aurait bu à la santé de Lucifer sa fiole de liqueur à présent journalière.

Devenu un peu vaniteux, il se mit en tête, « afin de couronner sa carrière », d'exécuter un Sauveur supplicié de proportions humaines, et il le tailla dans un tronc de sapin, car cette essence est la moins coûteuse, et Christophe à l'ivrognerie et à l'impiété joignait l'avarice. Comme il employait la journée aux productions lucratives, c'est le soir, à la chandelle, ou plus économiquement à la lueur du firmament constellé, qu'il cisela sa statue. De la sorte, il mit un an à la terminer. Or, il advint qu'elle fut complètement achevée dans la nuit du vendredi saint.

Christophe, l'équilibre incertain et le regard trouble, la contemplait au clair de la lune. Elle était dressée en face de la baie, et semblait en extase devant l'immensité de la campagne où des brouillards simulaient un océan revenu. La seule clarté de l'astre mort prêtait au sapin une pâleur d'agonie, accusait la joue hâve, et creusait la misère des flancs.

À terre, la croix s'étendait munie du repose-pieds, marquée des lettres I. N. R. I., toute prête.

Le sabotier retoucha l'enflure d'un muscle, puis aiguisa une épine de la couronne. Il aggrava d'une entaille la tristesse du front, la souffrance au coin des yeux, enfin satisfait, il étreignit son œuvre au parfum de résine et coucha le condamné sur la croix.

Trois grands clous neufs tintèrent dans sa main.

À coups de marteau, les paumes du Dieu et ses pieds joints furent percés et rivés au gibet.

L'homme pensa :

On a vite crucifié son roi des juifs ! Après tout, c'était là l'instant le plus douloureux, bien court en vérité… L'humanité fut sauvée à bon compte ! Combien d'autres moururent ainsi, et plus humblement, avec moins de simagrées, sans même avoir de raison pour cela !…

Alors, ayant péniblement relevé l'ensemble contre la muraille, et s'en écartant pour le mieux juger, Christophe s'aperçut que Jésus pleurait : deux larmes brillaient au coin des paupières, et son front laissait couler la sueur de l'angoisse…

Bien sûr il souffrait… les affreux clous le torturaient !… Et le sabotier, ayant regardé les mains et les pieds, vit sur eux les blessures sacrées ruisseler.

Et Christophe entendit parler le Sauveur :

– Mon fils, voilà bientôt vingt siècles que je pleure, vingt siècles que je saigne.

« Crois-tu donc que l'Éternité accomplisse des actes passagers, et que la douleur de l'Immortel puisse être une souffrance véritable si elle est fugitive ?

« Depuis le jour de ma Passion, je me suis étendu sur toutes les croix que les hommes ont façonnées. J'ai frissonné de fièvre dans toutes les effigies. Nain de stuc ou géant de marbre, difforme presque toujours et parfois charmant, j'ai senti les clous me pénétrer sans cesse et mes plaies se rouvrir…

« Poupées enluminées du touchant Moyen Âge : Jésus de bois en longue robe, hideux mannequins de plâtre colorié, minuscules figurines pendues aux chapelets… autant de moribonds impérissables, autant d'agonies sans nombre et sans fin…

« Je meurs à travers les temps au faîte de l'église, au calvaire du chemin, dans le fond de l'alcôve... nimbé de l'auréole guillochée ou couronné du diadème de ronces, cloué de quatre ou de trois clous, les bras tournés tantôt vers l'horizon et tantôt vers le ciel, songeur sinistre ou résigné, selon votre caprice.

« Vous n'en savez rien. À votre insu je descends dans vos œuvres pour une eucharistie cachée. Insouciants, vous percez ma chair révoltée, plus exaspérée d'être immobile, et je vous aime de le faire, car c'est ma volonté de supporter pour votre délivrance les affres d'un trépas éternel et multiple.

– Seigneur ! Seigneur ! gémit Christophe prosterné, malheur sur moi ! Je vous ai fait tant de mal ! Hélas, j'ai ouvert votre flanc comme les soldats, j'ai blessé vos chères mains et vos pieds adorables comme ont fait les tourmenteurs !...

Et Jésus répondit :

– C'est moi qui l'ai voulu. D'ailleurs, ô mon ami, tu n'as que répété les coups les moins cruels... le baiser de Judas était plus douloureux.

Christophe s'effondra, prostré dans l'adoration effrénée des repentis.

L'aurore le tira d'une torpeur qu'il eût souhaitée infinie. Il se releva.

Le grand christ de sapin, au jour brutal du matin, fixait un œil morne sur la nature ranimée. Avec une vénération infinie, le sabotier examina l'œuvre magique. Des gouttelettes de résine avaient suinté aux yeux, au front, des dernières retouches ; et, des crampons fraîchement enfoncés, la gomme odorante sourdait encore :

L'aube prosaïque tentait d'expliquer le poème de la nuit.

Christophe secoua la tête :

Il croyait.

Un par un, avec des soins de garde-malade, les Sauveurs furent décloués, et tout l'ouvrage d'un hiver, tout l'espoir d'un été furent sacrifiés. Un brasier consuma toutes les croix, et dans une armoire Christophe rangea douillettement les figures sur un lit de fins copeaux. Il glissa le christ qui avait parlé dans sa couchette, le borda dévotement, puis ayant baisé la main raide brandie hors des draps, il s'assit, et médita longtemps, les traits contractés, avec, parfois, de bizarres mouvements d'impatience ; enfin il sourit largement, tel celui qui trouve une solution difficile, et sortit de la masure en fermant soigneusement la porte.

Il suivit le sentier plongeant vers le village, mais un de ses souliers vint à se délacer, et, comme il se baissait pour en renouer le cordon, terrassé d'insomnie et d'émotion, il s'endormit profondément.

IV

Au dire des villageois, le père Christophe tombait en enfance ; les preuves en abondaient.

D'abord, il s'était refusé tout à coup à vendre aux touristes les crucifix que chacun lui réclamait sur la foi de sa renommée. Bien mieux, il n'en sculptait plus un seul.

Ensuite, le vieux païen restait de longues heures à l'église, en adoration devant le tabernacle et les croix. Il frappait du front les marches dallées, et son visage extatique, baigné de pleurs, révélait un fanatisme si violent que bien souvent à l'heure de clore le temple, le marguillier effrayé n'osa point chasser Christophe et l'emprisonna.

Enfin, le solitaire ne fuyait plus la compagnie de ses voisins et s'était lié d'une étrange amitié avec Marcoux, le bandit sanguinaire et cupide. On les voyait tous deux boire à la même table. C'était toujours le sabotier qui, plus sobre d'ailleurs qu'auparavant, soldait la dépense. Entre deux stations à l'église, il offrait ainsi au contrebandier de magnifiques saouleries, et vivait une vie fiévreuse, apparemment sacrilège, allant de l'autel de Dieu au comptoir du cabaretier.

Marcoux paraissait heureux de cette affection subite, et l'on s'étonnait de le voir agir envers le vieillard avec une déférence qui ne se démentait jamais.

Cependant l'automne s'effeuilla sur les fleurs, et la neige couvrit les feuilles, puis elle commença de fondre.

Pâques s'en revenait.

Au pied des crucifix vêtus de violet, Christophe priait sans relâche, et son nouvel ami, sans doute mécontent d'être délaissé, errait, farouche, au hasard.

L'habitude de voir le sabotier avait atténué ses extravagances. Nul n'y trouvait à redire à présent, et l'on oubliait même que son entendement fût endommagé, tellement les hommes ont de peine à distinguer sans cesse la raison d'avec l'incohérence.

Aussi les fidèles ne faisaient-ils pas plus attention à lui dans le chœur que les buveurs à l'auberge.

Le jour du vendredi saint, on s'aperçut que le grand autel n'était pas complet. Quelque chose y manquait. Quoi donc ? Un candélabre ? Un vase ?

C'était Christophe.

Son absence gênait comme celle d'un doigt familier, et le recueillement des âmes venues, dans le silence des cloches, pour déplorer le martyre du Rédempteur, en fut troublé.

L'aubergiste ne le vit pas davantage.

Mais, circonstance grave, Marcoux, lui aussi, avait disparu.

Les deux absents furent immédiatement nommés l'un victime et l'autre assassin, une effervescence bourdonna dans tout le village, et une troupe frémissante de curiosité prit le chemin de la maisonnette.

Celle-ci avait été soigneusement vidée. Il n'y demeurait pas un escabeau.

À la muraille, bien en évidence, une feuille manuscrite s'étalait.

On lut :

« Je lègue tout mon bien à Marcoux, Jean-Pierre-César, en remerciement du grand service qu'il a accepté de me rendre et pour lui exprimer ma reconnaissance de faciliter mon expiation. »

CHRISTOPHE.

Chacun répéta le billet ambigu sans pouvoir en pénétrer le sens obscur.

Le charron eut l'idée de le comparer aux reçus qu'il possédait du sabotier : l'écriture, identique, était de la même main.

Quelqu'un, armé de pistolets cachés, se rendit chez Marcoux, mais le bandit avait déguerpi avec tout son misérable mobilier, et la campagne, fouillée pendant deux jours, ne décela rien qui pût éclaircir l'opinion au sujet de cette double disparition.

Le lendemain de la troisième journée, bien que ce fût Pâques, une voiture débarqua les magistrats sur la place du village.

Dès leur arrivée, ils demandèrent à être conduits à la maison de Christophe.

M. le substitut, mis en verve par cette expédition, risqua que « cela montait vraiment beaucoup pour une descente de justice », mais M. le juge d'instruction, tout à la joie de retrouver les montagnes qu'il affectionnait, n'entendit pas.

Ces messieurs constatèrent l'absence de tout indice révélateur, puis se disposèrent à regagner un niveau plus naturel à leur profession et plus favorable à leur appétit.

Mais le juge d'instruction se déclara soudain envahi par un besoin irrésistible de plein air et d'escalades. « Puisque l'occasion s'offrait », il voulait « savourer cet avant-goût des congés et se payer une petite ascension ! ».

Ayant dit, il retroussa le bas de son pantalon et s'éloigna, mesurant le sentier de la marche lente des montagnards, du pas retrouvé des bienheureuses vacances.

Il montait.

Une explosion harmonieuse atteignit sa rêverie : à l'issue des messes, toutes les cloches de la vallée sonnaient l'alléluia de résurrection, et, en vérité, avec son Artisan, l'Œuvre semblait revivre aux rayons d'avril. La sombre forêt de pins se mouchetait de pousses tendres et pâles, les champs reverdissaient, et quelques fleurettes de Pâques, quelques pâquerettes, évoquaient déjà, bien que frêles et timides, leurs sœurs plus effrontées et les papillons au retour béni.

Plus haut, parmi le murmure affaibli des carillons, les premières sauterelles décrivaient leurs paraboles stridentes et pourprées.

Le vent des cimes, joyeux de retrouver à qui parler, commença l'aigre gémissement de ses légendes.

Du sommet encore blanc de neige, des aigles s'envolèrent lourdement à l'approche du promeneur.

Enfin, il atteignit le terme de sa promenade et s'arrêta sur la crête.

L'immensité fuyait sous la lumière d'or…

Mais un claquement d'étoffe fit lever les yeux du juge vers la croix.

Un squelette encore à demi musclé, repas inachevé des oiseaux rapaces, était crucifié sur la vaste charpente. Des loques brunes cachaient mal l'envergure des bras déchiquetés et le croisement étique des fémurs. Par les trous de la bure en haillons, les plaies horribles des becs et des serres rougeoyaient.

C'était une hideuse rencontre.

Cependant, la tête du cadavre, par un hasard singulier, se redressait sur les vertèbres. Du vide béant de ses orbites, elle regardait les monts bleuâtres de l'horizon, et la mort faisait sourire ce crâne au clair soleil de printemps.

Milton Keynes UK
Ingram Content Group UK Ltd.
UKHW030636080823
426520UK00010B/517